你爱着他时，他也刚好爱你

*love exists between you and him*

# 星星上的花

烟罗／作品

作家出版社

**图书在版编目（CIP）数据**

星星上的花 / 烟罗 著. -- 北京 ：作家出版社，2014. 1

ISBN 978-7-5063-7242-8

Ⅰ. ①星… Ⅱ. ①烟… Ⅲ. ①长篇小说－中国－当代 Ⅳ. ①I247. 5

中国版本图书馆CIP数据核字（2013）第306516号

**星星上的花**

---

**作　　者：**烟　罗
**责任编辑：**冯京丽　邢宝丹　秦　悦
**装帧设计：**莫　峻
**出版发行：**作家出版社
**社　　址：**北京农展馆南里10号　　**邮　　编：**100125
**电话传真：**86-10-65930756（出版发行部）
86-10-65004079（总编室）
86-10-65015116（邮购部）
**E-mail:zuojia@zuojia.net.cn**
**http://www.haozuojia.com**（作家在线）
**印　　刷：**长沙鸿发印务实业有限公司
**成品尺寸：**145×210
**字　　数：**200千
**印　　张：**9
**印　　数：**1-150000
**版　　次：**2014年1月第1版
**印　　次：**2016年10月第3次印刷
ISBN　978-7-5063-7242-8
**定　　价：**25.00元

---

# 序

## 一个人的旅行与两个人的相遇

文／莫峻

少年时光，我偏爱独自旅行。

并不是很远的远方，有时骑车，有时步行，有一次一个人背着画板，从晨光初起走到日落西山。

山里的夜晚安静得有些恐惧，没有带够衣服的我瑟瑟发抖，但被一盏陌生的农家灯火接纳，心情就会像大风疾吹云散去的天宇。

未知与独自隐忍的过程，变数与突如其来的转机，是一个人旅行的魅力。

因为一些经历，我的个性一直对人温和而疏离。

热闹起来时像是世界上最受欢迎的人，但其实对谁都保持着距离。

我相信这世上还有很多人和我一样，你无法解释，但你知道自己心里的孤单与不安。

而这种孤单与不安，甚至于在进入“两个人的相遇”那样美好的阶段，也并不一定会彻底消失。

然而，会觉得温暖。

所以，封信说：

我们的故事早已开始。

但是我迟到了。

对不起，

以后我会加油。

我想，当程安之用她的执着与倔强终于使封信说出了这段话时，他不再是一个人，他是愿意共同编织两个人的故事，长吁了一口气的一定不止女主角，还有万千看客。

我们都感觉到了温暖。

就算是常年行走于黑暗与寒冷的人，也一定内心里喜爱温暖。

这是我第一阅就深深喜欢上这个作品的根本原因，一个能够让人觉得激动和温暖的故事，是非常美好值得珍藏的故事。

我把它定为我 2013 年唯一的全程监制作品。

却不曾想，这一年会有诸多动荡。

其间因为作者旧病复发，我的工作生变，这个稿子我一度以为无法按计划完成。

但是作者终于在9月繁花里交齐稿件，而我的新公司也在一阵兵荒马乱后，快速安定下来。

我终于得以实现自己的承诺，在2013年的尾巴尖上，做完这本书。但稍有悬念的是，因为出场人物较多，故事不得不分成两部，下部会全面完结，争取2014年上半年出版。

好的东西永远经得起等待，是吗?

最后，作为这本书的策划人和总监制人，我想它的问世和畅销，应该感谢很多帮助。

在网络上造成了搜索奇迹的亲爱的读者们；作家出版社看了样文后千里前来签约的葛社长；数十家影视公司的版权洽谈邀请；还有一些感谢只能留存心底。

是一路的毫无保留的肯定，给了病中的作者力量与信心把它写下去，也给了我更多的责任感，一定要把它完美出版。

现在，它终于得以和大家相见。

愿你们都在这本书中，得遇温暖，获得正能量。

敬请关注这个故事的圆满结局。

2013年11月1日星期五

---

序者简介：

莫峻，出版业资深策划人，畅销书作家。最新代表作品《时光机我很忙》《蜗牛小镇系列》。

# [目 录]

# [目 录]

# [目 录]

*封信，*
*我不知道别人的星星是什么样子，*
*可是我的星星上只有一朵花，*
*是你。*

# 第一章

## *Flower* • 香气

我能看见云的飘，也能闻见花的香，但突然间，一切寡淡，天地间只剩下明亮的你。

那时我完全不知道爱的意义，但已经在黑夜里全力向前奔跑。

## [楔子·十月十日晴]

爷爷曾说，每一种中药材的气味里，都包含着它们的灵魂。

所以每一种中药材的气味，都大不一样。

香附浓郁，豆蔻刺鼻，青黛微腥，白术清新。

封信从有记忆开始，就和这些药材生活在一起，它们是他的朋友，也是他的玩具。

和双胞胎妹妹封寻不同，他天生对这些草药充满天赋和兴趣。

四岁的时候，封信已经可以认得上百种不同药材，并清楚区别它们的属性。但封寻只会偷奇臭的败酱草去熏做饭的阿姨。

都说女孩子更乖巧得宠，但在他们的身上却成例外。

爷爷的老病人都认识他们兄妹俩，提起封信，无不啧啧赞叹其骨骼清奇天赋过人个性温和必成大器；而提起封寻，都只能讪讪一笑，说小姑娘长得还是可爱，像哥哥一样。

所以当他们十二岁那年，平时一年才能在外面见面一次的爸爸突然出现在爷爷家的客厅里，强硬地要带走他们其中一个时，爷爷沉默半晌，最终指了指封寻。

那时，封信已经初露耀眼的光。

在学校里，他成绩好、人缘好，有很强的领导力，画一手好画，小小人生已看得见一路掌声和鲜花。

而封寻顽劣、调皮，成绩平平，做什么事都比不上他。

但是，封寻却是他过早刻板和枯燥的人生里，最鲜活的太阳。

他一直记得当爷爷做出那个决定以后，封寻的表情。

她看了看一脸木然的爷爷，又看了看抹泪沉默的奶奶，再看了看微微冷笑的爸爸。

然后，她喜滋滋地漾着一汪欢乐扑到了他的怀里。

“哥！以后爸的公司就是我的了！哼，你别想跟我抢！”声音脆脆的、糯糯的，带着她一向的小调皮劲。

但是十二岁的男孩肩头，却第一次感觉那么重、那么重，沉沉地坠下去，几乎不能站立。

封寻上了爸爸的车绝尘而去的那天，是十月十日。

天气晴。

## 1. 我看到封信开口说：“两个人的班级各扣一分。”

不知道每个人的一生里，是不是都曾有过那么一段想要彻底燃烧的时光。

求而不得，辗转反侧，不顾一切，却又无限卑微。

我见到封信的第一眼，就体会到这样强烈的感觉，毫无预兆，蓦然深陷，并且后来很多年，再也没有走出来过。

那是我的十六岁，刚上高一。

新的学校靠着青黛色的小山，围墙边种满密集的桂花树，开学不久整个校园都笼罩在无比甜美的香氛里，让人有一种被幸福环抱的错觉。

同班同学多数都是直接从初中本部升上来的，彼此很熟，早已有了各自的朋友圈，我时常感到落寞。

好在还有一起转学过来的上初三的妹妹若素和我一起上下学。

但是不久后古灵精怪的若素就已经打入了她们班的女生主流圈，和三五新朋友像一群小母螃蟹一样快乐而嚣张地横行。

于是我更加落寞。

开学典礼因为急性肠胃炎未能参加，所以我一个月后才见到封信。

那时他仍是学校的学生会主席，按惯例高三生必须退出学生会，但是因为他人气太盛，成绩上也无可挑剔，加之征求了本人的意见，破例让他留任到毕业。

这是后来才知道的事。但当时，我正在十月明亮而躁动的阳光里，和上千个穿着同样淡蓝色肥大校服的同学懒洋洋地做着课间操动作，广播里多年不变的、熟悉的背景音乐令人安心又厌倦，我隐约感觉到周围的小小异样波动，然后一偏头，看到不远处已经被几个学生会体育部成员簇拥着走过的陌生白衣少年。

听到身边有女生小声嘀咕："封信好久没亲自检查课间操了。"

另一个声音回应："都高三了肯定很忙，其他活动应该也不会怎么参与了。"

一些细碎的、惋惜的、不甘的叹气声。

不知是不是那天的阳光格外刺眼，又或者只是因为封信穿了一件白色的外套，他的出现令我感到眩晕。

我一失神，做侧身动作傻傻地转错了方向。

撞到了右边女同学的手。

右边女同学是邻班嗓门最大的一个胖女生，看起来就是行动快于思考的个性。

我猝不及防的一撞让她怒意横生，她立刻停下动作冲我吼："你往哪边转！没长眼啊？"

我慌忙说对不起对不起。

周围的人却已经停下动作嬉笑地张望起来。

我看到她瞬间似乎面露后悔神色，因为小小的骚动中，那几个学生会检查干部已经朝这边走过来。

"高一（三）班的，干什么？"一个矮个子男生面色严肃地问。

"她撞我！"胖女生的声音已经低了不少，但也不甘露怯。

我不知道怎么回答，只能低头反复地说对不起。

余光里瞄到近在咫尺的白衣少年，面色是这个年纪少有的沉静，眼神专注犀利，嘴角却曲线柔和，似乎看到我不安分的眼神，他微微侧脸。

我完全呆掉。

他让我第一次知道，有一种人，就那样随意地站着，已似一道风景，而他周围的一切，都在发光。

他的存在，一定要我用一个词来形容，那该是“花树堆雪”。

清冷平静悠远，美好得不应存于世间。

我一动不动地站着，在胖女生的争辩声里，任那个矮个子男生抄去我的校牌。

然后我看到封信开口说：“两个人的班级各扣一分。”

我丝毫没有被同班同学抱怨的声音所影响。

我无暇顾及。

当天晚上，我用英语课本挡着，在台灯下画了关于封信的第一张漫画。

层层叠叠的云朵，人头攒动的操场，少年眼神温和宁静，晴蓝的天空里仿佛闪了电。

我一下子变得忙碌而充实。

在上课、做作业、卫生值日这些事以外，我开始期待每日天气晴好，这样就能集体去做课间操，如果那一天学生会抽检队伍里有封信，我就能安心地躲在那么多高高低低的脑袋里大胆地看他几眼。

他喜欢穿黑白灰色系的衣服，显得干净帅气，即使遇上非穿校服不可的日子，他也总是卷起袖子把校服穿得比别人更好看。

因为个子很高，他总是微低着头和人说话，有时候会露出一点调侃的笑，有时候会微皱眉头变得严肃。

他在学校里人缘非常好，无论是男生女生，处处有人勾肩搭背。

他喜欢喝冰红茶不喜欢绿茶，矿泉水只喝某一个固定的品牌。

他篮球打得不错但乒乓球很烂。

他成绩很好，拒绝了校方的保送。

他曾经数次被人拦截在校道上表白，收情书更是家常便饭，所以绯闻很多。

……

那一阵子，我像初钻出土壤的小花苗贪婪地吸收阳光雨露一样，到处吸收着关于封信的点点滴滴，就连公告栏上关于高三的一些名单公告，我也会假装站在那里看字，用眼睛一排一排搜索最终把那两个字找出来。

然后脸红心跳。

那时我完全不知道这样做的意义，但已经在黑夜里全力向前奔跑。

心动来得太快，如春绿般熊熊燃烧，我跌跌撞撞，凭借本能盲目奔着那火种而去。

没有时间去想结果和目的，每一天的现在已经足够欢喜和煎熬。

所有偶然和非偶然遇见的小小画面，都被我晚上回家偷偷地画成了漫画。

我的每一张画里，那个少年都是主角，他会微笑着看着我，目光温柔而清亮。

那时我成绩平平、家境平平，长相就是普通的邻家女孩，没什么绝艳才艺，唯一值得一提的就是从小在已经过世的外公教导下，画过几年画，这方面有些还算不错的基础。

升入高中后，妈妈想让我高考时走艺考这条路，所以特意嘱我把画画又重拾起来，我练习之余，也会画些漫画玩。

有了小秘密的日子会过得很快，当我发现关于封信的漫画已经画了近半本时，距我第一次在课间操时见到他，已经过去了整整两个月。

我在班上也处境渐暖，虽然没有什么“铁血姐妹团”，但也有了一群可以随时叽叽喳喳课间挽手去厕所的朋友。

有时大家的话题会讨论到封信，比如他今天又穿了什么衣服，又与哪个女生说话了，可能会考什么学校等等。这时我会装出对他非常陌生的样子加入讨论，偶尔还对她们的花痴状态表示出不屑和鄙夷，心里却跳得好像在开舞会，各种脚步纷乱而至，踩得我的十六岁，心痒又心慌。

但那时，我以为自己和她们一样，和学校里的数百个女生一样，会这样一直仰望下去，然后在封信毕业后，把这个名字绘声绘色地传给下一届的学妹，直到这种心动变成一种校园传说。

## 2. 最近笑得太多，都笑出腹肌了

“程安之，大礼堂要画一幅手绘的大型墙画，据说月底会有领导来校参观，美术社人手不够，校门口贴了通知在临时招人，你好像会画画吧，要不要报名去参加？”孟七春在我的课桌边跳来跳去，据说这是最新的减肥舞步。

七春是我目前最好的朋友，事实上她是班上多数女生最好的朋友，因为她侠义、热情、开朗，是个比男生更帅的女生，几乎没有人能抵挡她烈火般的友情。

第一次她向我大方地伸出手来邀约我一起去厕所的路上，我曾经向她解释我的名字的由来。

安之若素。

这是喜欢装学问的妈妈取的，也许是希望我和妹妹都有这种淡然的心态。但事实上我木讷老实不灵动，而若素上天入地像个魔女，似乎都没沾着这名字的好处。

七春哈哈大笑。

“我妈没有那么文雅，我估计她可能就是发了七次春以后怀上了我，所以就叫七春！幸好不是十三春或者十四春什么的，那以后要是成了明星，签起名来还多写一个字。”想想又笑，“不过现在的明星都可以取艺名哈。”

这就是一向语出惊人风格无边界的孟七春，当时我的心里就被她掀了个姹紫嫣红，明白了她为什么人缘如此好。

她从内到外都是让人很难挪开目光的闪亮姑娘。

此时她在我的课桌边跳，怂恿我去画什么大墙画。

于是我就去报了名，拿了几张之前的练习作品去，没两分钟就顺利过关了。

出门的时候迎面撞上一个人。

只听得身后传来那个刚刚考核我的美术社社长唐凯高兴的招呼声："封信！人差不多了！十个人，明天放学就开始画，每天一小时，应该来得及！"

我有些呆滞地抬起头来，脸颊依稀蹭到那人柔软的衣裳，已经是深秋，但他的身上还是散发着微暖的阳光气味。

我退了一步，下意识地捂着额头，蓦然见到他那么近的脸，还有那男生中很少见的长长的睫毛。

他这样一个人，果然随便站在哪里，无论是万众瞩目的高台，还是拥挤熙攘的街市，或是这方斗室的门口，都会轻易照亮身边的一切。

我低到尘埃里。

"对不起啊，你没事吧？"他说，微低头看了一下自己的肩，那是刚才被我撞过的地方。面对我的失态，他的眼里好像闪过一丝少年的调侃。

之前那次操场扣分时听到过一次他的声音，但这次和印象中有些不同，他的声音略低，听上去干净柔软，像夜色里的竖琴。

我只剩下本能拼命摇头的反应，然后他侧过身，我夺路而逃。

回到教室，七春跑过来。

"报了吗？"她问。

"报了。"我机械地答。

"啊啊啊，你平时太闷了！所以要主动多参加些这种集体活动！"她咦了一声，"你捂着脑袋做什么？"

我趴在课桌上，不知不觉眼睛又胀又酸，有什么东西要涌出来了。

七春慌了。

"喂，程安之，你怎么啦？谁欺负你啦？"

"呜……脑袋撞墙了……"我说谎。

“不是吧，哈哈哈哈！猪撞树上你撞墙上啊！”她动作粗暴地帮我揉头，笑得风云变色。

我更加方寸大乱，索性把头埋进手臂弯里不出来。

只听得她自言自语地说：“我要收敛一点，最近笑得太多，都笑出腹肌了……”

我一下子喷笑出声。

那一刻我确信，封信和七春，都是这所学校给我的最美好的遇见。

只是我现在还不好意思告诉七春，我哭，是因为太过强烈的幸福感。

它来得这样突然。

*他这样一个人，果然随便站在哪里，无论是万众瞩目的高台，还是拥挤熙攘的街市，或是这方斗室的门口，都会轻易照亮身边的一切。*

## 3. 封信，你这样的人，真不知道有什么样的女孩子能站在你身边

第二天放学后就开始去大礼堂画墙画。

六米高、十二米宽的巨大墙体，此刻雪白一片，等着我们这些人的，果然是有些惊人的工作量。

唐凯事先已经在墙上画了大致草图，然后再分配了工具和每个人的负责区域。

两个人一组。

和我分到一起的，是个非常美丽的女孩子，个子不高纤弱秀气，黑亮柔软的头发，白皙精致的小脸，羞涩地朝我微笑时，让我立刻明白什么叫娴静犹如花照水。

她细声细气地告诉我她叫唐嫣嫣，巧的是，她也是高一才进入这所学校的，与我同级不同班。

我们边画边聊很快混熟。

那几天，我放学后就去她们班叫她，然后一起去大礼堂画画。

画到第五天的时候，有些高处的地方已经开始要站在梯子上画，有时一站就要半小时。

唐嫣嫣看起来弱不禁风，一站上梯子就小脸儿煞白，那模样我见犹怜，所以多数时候都是我在上面画，她在下面画。

其他组都有男生，我们组两个人都是女生，虽然我们很努力，但进度还是稍慢。有时候收工的时间就比别的组晚。

私心里是希望能遇到封信的，当他真的出现的时候，却正是唐嫣嫣逞强非要爬一爬梯子结果哎哟一声跌下来扭了脚的时候。

我期待的惊鸿一遇在唐嫣嫣的泪流满面中变得慌乱无措。

“怎么了？”他蹲下身来，额前的碎发微微散落，高高的顶上照下来的灯光，如金子般细碎地落在他的眼睛里。

我多希望坐在地上哭的那个人是我。

“疼……”唐嫣嫣呜咽，但声音突然间变细小，“封……封信？”

封信朝她鼓励地微笑了一下。

“你扶她站起来试试。”他转头向我，声音很轻，像洁白的羽毛拂过我的皮肤，引起一阵无声的战栗。

我机械地照做，有那么一瞬间，觉得好像怎么呼吸都已经忘记。

唐嫣嫣试了一下，她全身的重量都压在我身上，但是伤脚稍稍落地仍然让她疼得又尖叫了起来。

“不行啊。”封信一伸手扶住了我的胳膊，避免我和唐嫣嫣一起倒下。

看我站稳了，他在唐嫣嫣面前蹲下身：“我背你去医务室，那只脚不要再着地和用力了，先去检查一下。”

唐嫣嫣只犹豫了很短的一瞬，就顺从地在我的搀扶下趴在了封信的背上。

他站起来的时候好像有一点点吃力，我慌慌张张地下意识拉了他一把。

我们的手掌相触，少年的手指温暖而修长。

他朝我笑笑，说：“谢谢。”

从第一次见到他到现在，他第一次对我微笑。只是一个很淡很温暖的笑意，却已经点燃我一生中最初的沉沦。

那时天色已经昏黑，校园里陆续亮起了一盏盏晚自习的灯光，我慌慌张张地跟在他们后面，节奏纷乱。

我看到封信的背影清瘦，我听到唐嫣嫣时不时吸一下鼻子，我还听到我饿扁了的肚子很不合时宜地叫了一声。

我居然还神游天外地想，啊，深蓝的天幕里，月亮已泛黄。

一切都像在梦游。

校医检查后，告之唐嫣嫣没有大碍，但是扭伤需要休息几天。

唐嫣嫣打电话要她爸爸过来接她。

然后封信先走了。

从头至尾，我们说了几句话，最近的时候，我能感知他的体温和呼吸。

他还主动问起我的名字。

那是校医问唐嫣嫣的名字时，我在帮忙拿药，他代填了一下资料卡。

“唐嫣嫣啊，写起来好复杂的名字。”他调侃。

唐嫣嫣脸红了。

“你呢？不会名字也这么复杂吧。”他朝我偏一下头。

“我……叫程安之。”

安之若素的安之。

非常简单的两个字。

后面的解释我没有说出口。

因为空气太静，心跳太重，空气里仿佛都听见那汹涌的心事，让人避犹不及。

因为脚伤，唐嫣嫣临时退出了墙画任务，唐凯亲自上阵替补成为我的搭档。

十天后我们基本完成任务，整个画面是一片繁花盛开的森林，但草台班子集体作业的手笔多少有些粗糙。

唐凯不太满意，他愁眉苦脸地把封信叫过来：

“你和林夏帮帮忙吧。”

“你这是要我的命啊，你也知道我现在每天也只能睡四个小时了。”封信指指自己的眼睛，他的眼皮下面有一圈淡淡的青色。

他连疲惫的样子都那么温柔。

“高手，你们俩出马，一晚上就够了！”唐凯不死心。

“你们再辛苦两天精加工一下呗。”封信指指唐凯，又看一眼站在一旁做小狗摇尾状的几个美术社员。

“阴险！可耻！你这是非要逼我们承认我们水平不够！”唐凯作势哇哇叫。

我羞愧地低下头。

我不知道原来封信画画也这么厉害。

“林夏不会同意的，我一个人搞不定。”封信躲闪唐凯的攻击。

“你去说林夏什么都会同意的。”

“……”

求助演变成了一场少年间戏谑的拳脚大战。

晚自习的时候我借口去厕所溜出来，远处的大礼堂果然依旧灯火通明，我小跑着经过操场，风很凉，我裹紧围巾。

门没有关严，站在门口的阴影里，我向里张望。

封信颀长的身影站在梯子上，已经是深秋，但他只穿着一件灰色的毛衣，正在往细处添色。梯子下面站着一个马尾女生，也拿着颜料盘和画笔，我想她可能就是林夏。

他们交谈的语声依稀传出。

“你这个人啊，都什么时候了，还接这种事，把我也拖下水。”略带娇嗔的声音，是林夏。

“嗯，欠你人情。”

“就不能找别人吗？”还是娇嗔。

“你说还能找谁，能跟我搭档的。”他笑，手没停。

“切……我就当是夸我吧，能被你夸也真不容易。”

“临时找来的人，功底相差很多呢。”封信转移了话题。

“嗯，这一片不知道是谁画的，要大修啊。”

我张望，林夏指的那一片，恰好是我的责任区。

有一种被燃烧的感觉迅速爬上我的脸。这样的感觉，在发成绩单的时候偶尔有，在妈妈叹气的时候偶尔有，在若素被表扬而我却乏善可陈时偶尔有。

但没有一次，如此强烈而持久。

过了一阵，听到林夏幽幽的叹气声：

“封信，你这样的人，真不知道有什么样的女孩子能站在你身边。”

“反正不是你。”半认真半调侃的语气。

我以为林夏会生气。

但是再没听到林夏的声音。

我在阴影里站了三十分钟，他们背对着我飞快地工作着，都没有看到我。

同样的画笔在封信和林夏手里如同魔术棒般舞动，被我们粗糙画过的地方，奇迹般地有了柔和的层次，有了细致的光影。

花一点点吐出了香，阳光变得透明而温暖，一片片绿色的树叶间碎金斑驳，仿佛能听见风吹过枝梢的响声。

那天晚上我回去后，在台灯下做卷子做到凌晨两点，我从来没有那么认真那么自觉。

我依稀感觉到，我和封信之间的距离，如同天空一般遥远，如果我当初画画再努力一点，我今天原本可以为他分担哪怕是一点点。

我感到失落和羞愧。

*“封信，你这样的人，真不知道有什么样的女孩子能站在你身边。”*

*“反正不是你。”半认真半调侃的语气。*

## 4. 那种感觉有些疼，不剧烈，但渐渐绵长

同样令我不安的还有唐嫣嫣，虽然扭伤已经基本好了，但她反常地闷闷不乐着，我中午就主动帮她买饭到她班上陪她一起吃。

比起大大咧咧的七春，唐嫣嫣的细致温柔显然更适合谈小女生之间的秘密，有时我们会讨论什么是爱情，什么是天长地久，虽然没敢说出具体的内容，但这种分享已足够让我们短时间内如漆似胶。

这让七春很不高兴。

有一次，她毫不客气地直接告诉我，她不喜欢唐嫣嫣那扭扭捏捏的样子，不喜欢她总是支使我出去跑腿买东西，不喜欢她吃个盒饭还挑食把胡萝卜都放到我碗里。

“矫情，太矫情！”她狠狠地评价道。

其实她误会了，我倒不是刻意对唐嫣嫣有多体贴，只是我对食物的热爱使我不能忍受吃饭时挑食的唐嫣嫣总是把三分之二的菜扔出盘子，所以那些全变成了我的午餐。

但是七春也没错，我想她可能有点吃醋。

孟七春有很多的好朋友，我只是其中一个，但即使如此，知道自己是非常重要的一个，也是令人感到甜蜜的。

作为安慰和补偿，有一天我鼓起勇气，偷偷告诉了她我喜欢封信这件事。

那是我第一次对另一个人说出这个秘密，那个名字以微不可闻的声音从我的唇齿间艰难吐出，带着一种触电般的欢喜与忧伤，那么遥远，又那么渴望。

原来即使只是对人念出他的名字，也能感觉到爆炸般的甜蜜与震撼。

这在那个年纪的女生中间，是视为最大的信任和交付，而这个秘密我只与她一个人分享。

所以七春很快忽略了唐嫣嫣的存在，开始心满意足地震惊并调侃我。

就这样又过了一段时间。

一天放学的时候，我和唐嫣嫣相约一起去校后吃点东西再回家。

校门口的小巷子里总是挤满学生，虽然环境肮脏，但扑鼻的香气却永远是莫大的诱惑。

我把书包交给唐嫣嫣，要她坐在学校里的花坛边等我，自己跑去排队买炸鸡柳。

那一天炸鸡柳的队伍格外长，当我捧着热腾腾的一包淋满了番茄汁的鸡柳回来时，发现唐嫣嫣正站在花坛边哭丧着脸。

“程安之……你的书包被人拿了……”

如果是在看动画片，那么此刻应该切入爆炸画面，然后硝烟散去，留下一个满面漆黑头发全部竖起的呆滞小人。

那就是我。

那书包不值钱，但今天不同，今天它里面装有我的漫画本，我今天带过来偷偷给七春分享的，关于我的暗恋。

“怎么办……”她难过得想哭的样子，“我刚才在这等你，封信、唐凯，还有一个男生路过，我……我就过去谢谢封信那天晚上送我……”

我继续呆滞。

居然还有封信的事?

“结果……那个和他们一起的男生，就笑嘻嘻地说……说封信你又勾搭学妹……”

我明白了。

想必和封信走在一起的男生调侃了唐嫣嫣几句，以我对唐嫣嫣的了解，她一定会脸涨得通红，含羞带气，扭头就走。

但是她忘记了我的书包还在花坛边。

等她想起来跑回来，一切都不见了。

“程安之，怎么办……”

我没有办法，我也是个没头苍蝇，我只能去求助孟七春。

七春气势惊人地迅速搜遍了全校还开着门的教室，最后在大垃圾箱的附近，找到了我那个蓝色的书包。

垃圾箱位于放学的必经之路附近，我的书包也是平常货色，若被人随手一扔，并不打眼。

只是翻得乱七八糟的书包里，唯独少了那本自绘漫画。

我只觉得血一直冰到了骨头里，那种感觉有些疼，不剧烈，但渐渐绵长。

青春里曾经最大的秘密，被突然暴露在陌生人的眼里，和裸体示众的感觉，应该没多大差异。

我感觉自己在不停地发抖，想哭又哭不出来。

依稀听得七春终于逮到了机会大骂唐嫣嫣：

“成事不足败事有余，别人不说你别以为我也不敢说，这世界上不是个个都是你妈都得宠着你……”

如果是平常，我一定会欣赏七春的剽悍加幽默，但是此时，我只愿世界从此沉寂，所有的声音与我一同死去。

*作为安慰和补偿，有一天我鼓起勇气，偷偷告诉了她我喜欢封信这件事。*

*那是我第一次对另一个人说出这个秘密，那个名字以微不可闻的声音从我的唇齿间艰难吐出，带着一种触电般的欢喜与忧伤，那么遥远，又那么渴望。*

# 第二章

## *Flower* · 早安

我想了很久，想你并不是我一个人的花，我只是途经了你的盛放。可是你知道吗？为了那途经的一刻，我好像已经等了千年万年。

# [楔子·虫儿飞虫儿飞你在思念谁]

封寻把钥匙插进锁孔，轻轻扭了几圈，略重的铁门被顺势推开。

屋里没有人，即使开了地暖，过大的房间也因为没有人声而感觉分外清冷。

封寻把书包扔到沙发上，看了一眼墙上的钟，赶快把电视打开，调到国际频道。爸爸要她看的那档财经节目刚好开始，她拿起纸笔把一些要点记下，以备爸爸随时询问。

晚上照例是自己电话点外卖，但现在时间尚早，可以再晚半小时。

封寻一边努力集中精神听着电视里的各种专业词句和分析，一边无法自控地怀念爷爷的家。

爷爷威严嗓门大，奶奶喜欢听京剧，充盈着草药香气的房间总是充满各种温暖声音。

还有封信。

那么温暖的封信，那么宠她的封信，那么努力的封信。

她的骄傲和信仰。

凌晨两点，她疲惫地收起桌上的书本，这是爸爸规定的学习时间，她功课太普通，只能加倍努力。

客厅里传来声响，她赶快跑出去，看到爸爸头发蓬乱几乎整个身体都靠在一个陌生女人的怀里，嬉笑着踉跄着进屋来，隔着几米，就闻见刺鼻酒气。

封寻的身体一下子冰凉，咬了咬嘴唇，倔强地站着不肯回避。

爸爸抬头看到她，似乎愣了愣，抬手动作缓慢地摸了摸自己的脑袋，在酒精的麻醉下努力思考。

他环视这个屋子。

突然从女人怀里挣扎着直立起来，破口大骂："滚！给老子滚出去！谁让你进我家的！你这个脏货……"

一连串不堪的怒骂从他的嘴里喷出，毫无节制地击在那个开始还笑意迷人的年轻女人身上，原本香艳的场面瞬间变得破碎而荒唐。

他几乎是像提小鸡一样把女人提了起来，在她的尖叫声中把她扔出门外，砰地锁上了门。

"薇薇，是我不好，我对不起你……"他扑到边几上放着的精致相框面前，对着相框里微笑的女人用力抽打自己的脸，发出困兽一样的号啕。

封寻安静地退进自己的房间，尽可能动作轻地关好门，她知道爸爸对着妈妈相片这一哭，估计要哭到天亮。

靠在门背后，她的眼泪也止不住地往下掉。

眼泪落在手腕上，手腕上露出的血红伤痕触目惊心，那是爸爸昨晚检查过她这次的成绩单后用皮带抽打的。

还有额角，被刘海遮住的地方，那道疤大概永远不能消除了，那是烟灰缸砸的。

关上灯，她躺在自己的小床上，搂紧怀里的星星娃娃。

"星星"是封信八岁那年自己缝的，他不知道什么时候和奶奶学的一手好针线，虽然被她各种无情嘲笑，但他却不以为意地用粉色的棉布给她做了这个娃娃。

"抱着睡觉，晚上不许哭哭啼啼。"他扔给她。

那时因为太漂亮，所以欢喜得反而失眠。

但是现在，这个娃娃却真的是她入睡必不可少的依赖了。

"哥哥……"她把头埋在娃娃里，呢喃着呜咽。

他们已经越来越少有机会见面，因为她不能让他看到自己身上明显的伤痕。

她告诉封信，告诉爷爷奶奶，自己过得很好，成绩也节节上升，她要他们放心。

她还太小，不懂得为什么爸爸会失去妈妈，为什么仇恨爷爷，为什么会变得这样喜怒无常，为什么会一时发疯一样打她，一时又跪着求她原谅。

她和封信没有见过妈妈，听说在他们一岁的时候妈妈得了急病死了，那时候他们还没有记忆。

就是那时，爸爸就离开了爷爷的家。

但有一点她是知道的，如果现在承受这一切的不是她，那就是封信。

她只要想到这一点，就觉得一切疼痛和恐惧都有了安慰，她一遍一遍地告诉自己，幸好不是他……只要不是他……

她在这样的自我修复和催眠里，慢慢睡去。

在梦里微微弯起的嘴角边，还有着未干的滑落的眼泪。

*他们已经越来越少有机会见面，因为她不能让他看到自己身上明显的伤痕。*

## 5. 站在落叶纷飞的偏僻校道上，她咬着嘴唇对我说：“对不起，程安之。”

第二天我躲在家里谎称头疼没有去上课，但惨痛的现实终究不会放过我。

中午的时候若素匆匆跑回家，对我说：“姐，学校里到处贴满了奇怪的漫画，好像画的都是封信，我看着有点像你画的，是不是你？”

我无法回答。

若素从小看我的画长大，我怎么瞒得过她。

也许是觉得我的脸色实在难看，她又赶快安慰我：“我没和人家说啦，别人都没见过你画的漫画，应该认不出是你。”

我蒙上被子不想听。

想着那风雨满天的校园里，那个人是不是也看到了那些对他充满了不知天高地厚的幻想的画，是不是会从那些画面里记起什么，会不会觉得可笑，又会不会觉得烦恼？

一时间只觉得浑浑噩噩，心如刀割。

好不容易熬到下午放学时分，七春和唐嫣嫣来了。

直接跑到我的面前，七春麻利地掏出一沓纸塞给我。

“我把能找到的都找回来了，还是少了几张。”她说。

我不敢再摊平那些皱巴巴的纸，我知道那是我的漫画本上撕下来的那些“作品”。

那时我才知暗恋的好处，就是你可以在自己的世界里安全而狂妄地幻想任何一个不可能的人与你相恋，即使现实残酷。

但是那些自己都会脸红的小心事一旦暴露在阳光下，你就要面对可能被嘲笑被指责被无情弃的下场。

何况我这是公开表演。

“没有你想象的那么严重啦，封信从初一到现在被人公开表白都不知道多少次了，这种事主角是他早就引不起大家兴趣了。”七春安慰我，“大家也就随便议论一下，而且没人猜到是谁画的。”

“真的吗？”我像抓住救命稻草一样。

“可是你画了我们画墙画和那天我受伤的事，把目标范围缩小了，肯定有人看到了会猜。”唐嫣嫣低声说。

七春白了唐嫣嫣一眼，凶巴巴地接口说：“唐嫣嫣，事情是你搞出来的，你把嘴巴闭紧一点，知道吗！”

我看唐嫣嫣扁了扁嘴，好像又想流泪的样子，立刻我也很想流泪。

临走的时候，唐嫣嫣蹭到我的身边，欲言又止地看着我，最终轻声说了一句：“程安之，原来你喜欢封信啊……”

那时候，我心烦意乱，并没有听出她话里的复杂意味。

·

回学校上课以后，这件事的风波犹存。

但因为那些画当时被贴得到处都是，并没有人看全，加上七春及时地回收，倒没有人直接来问我什么。

只是大家课间有意无意看向我的那种猜测目光和诡异嬉笑声，仍然像一支支利箭，刺得敏感的我坐立不安。

我和唐嫣嫣还是有时一起吃午饭，一起课间小聚，但我们刻意不提那件事，双方都心事重重。

一天和她一起去厕所，听到一墙之隔的男生那边传来大声的讨论：

“听说是我们班那个唐嫣嫣画的！”

“那个很漂亮的女生？你怎么知道是她？”

“有一张画了人家背她去医务室呢！就是画墙画那几天，她不是脚扭了嘛，就是那事。”

“啧啧啧，看她平时一脸纯洁，骨子里还挺骚的。”

“女生都这样……”

唐嫣嫣没有听完就已经哭着跑出去了。

我抱着头蹲在厕所隔间里恨不得再也不出来，直到敲门声越来越不耐烦。

真是糟透了。

我不是没有想象过有一天我的暗恋会以美丽的方式告白，甚至也想象过有如凄美连续剧般被男主角温柔拒绝，披着萧瑟的落叶成为悲情女主角。

最后矫情地哭一场。

成为一部青春的文艺片。

但是，不是以这样难堪的方式。

没有人想以丑闻的方式出场。

第二天放学的时候，唐嫣嫣来找我。

站在夕阳斜照的偏僻校道上，她咬着嘴唇对我说：“对不起，程安之。”

我说是我对不起你。

她摇头，漆黑的眼瞳里渐渐水光潋滟，泪盈于睫。

“我今天中午去和封信说了……我说那些画不是我画的。”她哽咽着说。

我一下子没听懂。

“我不能忍受他也那样想我……”她用力地咬自己的嘴唇，咬得发白，“听到昨天那些男生的话，我害怕极了，我怕他也那样想我，我真的受不了！”

我傻傻地问：“你告诉他是我画的？”

她摇头。

“我只说不是我画的。”她看上去脸上浮起了一丝红晕。

“那，他说什么？”

“他笑了笑，说，没关系。”唐嫣嫣的语气一半失落，另一半，有点像释然。

我突然明白了什么，心里一阵抽痛。

我喜欢的少年，他那么骄傲，骄傲得像一把利剑，毫不在意会不会让人哭泣流血。

没关系，是谁都没有关系。

主角是他，他根本不必在乎配角是谁。

唐嫣嫣，她也是喜欢封信的吧。

那样害怕在他的面前变得不美好，害怕以这样的方式在他的记忆里留下一笔。

而我也是一样的啊。

我难过地低下头，脑袋里乱糟糟的，也有一丝丝轻松感，觉得至少不用她替我背黑锅了。

“程安之，对不起……原来我们俩喜欢的是同一个人，我想，我不能和你做朋友了。”

## 6. 那一天，我好像做了一件天大的坏事

每一个上学期大考来临前，最后的疯狂一定是圣诞晚会。

我们那次画的大墙画，经过封信和林夏最后的精加工后，变得好评如潮。

圣诞晚会就直接把大礼堂变成了喜乐会，没有传统的歌舞表演，而是以班级为单位，在礼堂上开设各种游艺活动。

有免费出租服装玩 COS 合影的，有传统猜谜套圈的，有六七个圣诞老人在蹿来蹿去发放糖果，有现场烘焙小蛋糕的，还有个班不知道从哪儿扛出来一个巨大的天文望远镜，支在礼堂外请大家看星星。

几种不同的音乐在同一个空间里嗡嗡作响，一串串彩灯和大大的圣诞树彰显着今天的主题，年纪大的班主任早就眼不见为净地离场了，年轻的老师混在人群里好像学生，还有戴着各种面具的人走来走去。

后来很多年，我再也没有参加过那么有创意那么古怪的圣诞会。

那是专属于青春的没有形状的放肆又嚣张的快乐。

我们班组织的节目是七春教大家跳酒吧舞，在礼堂的一角圈出一块地放着热烈当红的时尚舞曲，本班外班的同学都纷纷被吸引，越来越多的人一个拉着一个的衣角接龙扭起来。

七春知道我近来一直消沉，开始非拖着我在她身边，但后来人多起来，我就找机会溜出了圈子。

没走几步就遇到一个“圣诞老人”，在派发手里最后几个礼物。

只要用英语回答他一个问题，就能得到一个小娃娃。

我拿到一只红色的小恐龙，是那种做工很粗糙的小恐龙，眼睛歪歪，表情很丑，传说中的治愈系。

我无聊地把它放在手上捏来捏去，突然听到一阵尖锐而扭曲的怪叫声：

“I love you！ I love you！ I love you！ I love you……”

我吓了一大跳。

才发现原来是那只小恐龙的附加功能，这些神奇的三无产品永远创意丰富，惊喜多多。

不远处有一阵小小的骚动，女孩子羞涩的欢笑声和男孩子大声的喧哗交杂在一起。

我慢慢地蹭过去，居然看到了封信。

距离漫画本丢失已经过去了半个多月，但沉重的课业与骚动的青春都在每日更新，已经很少有人再谈论。

我想他应该已经不记得我了吧。

此刻他和另外几个男生，手里都捧着一堆礼物，唐凯也和他们在一起。有不少胆大的低年级女生，还在欢笑着往他们手里塞东西。

其中封信手上的礼物堆得最高，一不小心，就散落了一地。

马上有人上前帮忙，几个人一起帮他拾起那些编着各种漂亮绳结的礼物盒，还有一些看上去像是刚刚在会场上拿到的奖品，女生们也开玩笑当成圣诞礼物一并送给了他。

有男生故意去争抢，还有人做痛苦状大喊：“可怜可怜吧！分我几个吧！”故意惹来一阵追打哄笑，造成小小混乱。

我心念一动，脑袋还未想清，脚步已经在挪动。

确定没有人注意到我，迅速装作弯腰的样子，把手上的小恐龙放到了一个正在帮封信捡礼物的女孩手里。

她毫不怀疑地对我说谢谢。

我好像做了一件天大的坏事，直到逃离现场很久，心还怦怦直跳。

我也想像那些女孩一样，亲手送他漂亮的圣诞礼物，对他说新年快乐，看着他的眼睛，对他微笑。

可我不敢。

我不漂亮、不聪明，甚至不勇敢。

那时候的我，是多么卑微。如果我是花，我只希望是万千野菊中的一朵，不被他发现地偷偷张望；如果我是云，我只希望我是最平凡的白云，可以自由自在地飘过他的头顶。

我不敢做玫瑰，无颜争艳；

不敢变闪电，劈开大地；

但是这样的我，竟也存着小小奢望，希望我也曾存在于他的人生里，哪怕只是一个他自己都不知道的小小片断与傻傻回忆。

*我无聊地把它放在手上捏来捏去，突然听到一阵尖锐而扭曲的怪叫声。*
*“I love you！ I love you！ I love you！ I love you……”*

## 7. 要是他正常发挥了，你这辈子骑着火箭也追不上了

圣诞过后就进入地狱式学习的阶段，仿佛为了让躁动的学子们加倍收心，老师们拿出了毕生功力狠狠压榨着我们的时间，让我连幻想也失去了力气，每天学习完就倒头大睡。

封信很少再在公开场合出现，和所有高三学子一样，他箭在弦上，最后蓄力。

冬天过去了，春天也过去了，初夏到来了。

高考的那几天，天气特别燥热。

我待在家里心神不宁，连空调也无法拯救我的不安。

若素看不下去，对我说："你有什么好担心的啊，听说那个封信是个考试怪物，从来没有发挥失常过。"想了想，又忍不住刻薄我，"我说老姐，我要是你，就去上炷香祈祷他考差点，要是他正常发挥了，那你这辈子骑着火箭也追不上了啊。"

我懒得搭理她。

何况她说得没错。

想起我前次考试排在班上十八名的成绩，我只能黯然神伤。

但此刻我的不安，不是因为对封信高考成绩的担忧，而是我意识到，我们要分开了。

或许我们并不曾在一起，但至少这个共同的校园，曾经让我知道，他在那里，在我不远的地方，在微笑、在叹息、在考试、在休息。

而不久后。

他将像一只骄傲而强壮的大鸟，飞向遥远的蓝天；也像一滴干净的水，奔向浩瀚的大海。

从此消失在我的视线中。

我将无法再用目光捕捉到他的身影，用耳朵追寻他的声音，这熟悉的校园里，没有了他，依然拥挤，但我想想就觉得那么冷清。

明年桂花们再次盛开时，将不会有一个叫封信的少年，和我闻过同一朵花的香，看过同一片云的形状，对同一棵大树说早安。

光想想，就觉得心室息般地破碎了。

有一些朦朦胧胧的东西，我想要把它们整理清楚，但尚差火候。

考完最后一门课的那个黄昏，学校里发生了一件大事。

高三生暴动了。

说是暴动，其实算是一种解脱式的宣泄，历届高三生考完后都会有这样的一个过程，但今年尤其疯狂。

雪片一般被撕碎的课本试卷和作业从天空中纷纷扬扬撒下，不停歇，不间断，越来越大，越来越大。

从五楼到一楼，全是激动的面孔与嘶哑的吼叫。

说不清是快乐，还是难过；是对未来的期待，还是对过去的告别。

整场狂欢的高潮部分持续了约半个小时，也没有老师前去阻止。

那是我见过的最惊心动魄的一场“雪”。

教学楼下大片的草地与道路，逐渐变得雪白，那么多承载了高三生们几年来痛苦与压抑的青春时光的书本，此刻在以安静的破碎的姿态与他们告别。

再见，青春；

再见，旧时光。

很多低年级的学生都哭了。

我也夹在他们中间。

当所有的书本都已经被扔出撕碎，有些人开始恶作剧地往楼下扔饭盒暖瓶等旧物品，校方这才出面，对这场青春告别式叫停。

晚上八点多，高三的学生们多数都手挽手去校外不醉不归，在满天的星光下，世界终于慢慢安静下来，只剩下一些细碎的语声，和头顶一轮孤独的月亮。

我看到有一些非高三的男生女生，跑到楼下去找什么。

七春刚才也是跟着闹得最凶的一个，现在这会儿后悔不迭。

“太激动了鸡血上脑了忘记自己还没毕业呢把自己的英语课本直接砸下楼了。”她捶胸。

我忍不住笑起来，再看看下面那些估计和她一样遭遇的同学，越想越好笑，最后两个人笑成一团，手牵手下去帮她找课本。

干掉的眼泪在脸上形成一种酸酸的触感。

笑容却是这样简单。

到了楼下，才知道孟七春做了一件多么傻缺的事。

她张着嘴看着那铺天盖地的纸片和破书，良久，终于说了一句脏话：“我操！”

我们开始埋头苦找。

我觉得我们好像在寻找宝藏的海盗。

一棵棵浓密的香樟树上，也铺满了白色的纸片，像一棵棵在夏日里落满了雪的圣诞树。

我找着找着，突然想，我是不是可以得到一份迟来的圣诞礼物?

这个念头一经冒出，便不可抑制，疯狂发芽生长。

我专心地盯着地面，把每一本尚成形的书都拿起来看。

七春冲我喊：“程安之，妈的你不用和捡金子似的，效率！注意效率！老子的书是包了封皮的，很好认，大红色，上面画了一只展翅欲飞的大鸟！”

我不理她，继续挑挑拣拣。

和我们一起作战的人还不少，有的是像七春一样想捡回自己激动乱扔的书，有的是想找找有没有有价值的参考资料，这其中，或许只有我一个人，掺杂着那么不单纯的小心思。

我鄙视我自己。

十分钟过去了。

半小时过去了。

一小时过去了。

就在我和七春都接近绝望的时候，我在随手拾起的半本高中数学上，蓦然看到了那个令我心跳至死的名字。

他的笔迹，不像他本人一样清秀，有着力透纸背的坚毅和硬朗。

他的名字。

他的书。

我拾到的，是前面半本，后面一半已经不知去向。

但我死死地抓住它，就好像得到某种确认。

长久以来自从漫画本丢失后的所有压抑与迷茫都在一瞬间得到释放，我蹲在那里眼泪再次决堤。

我们，还是有一点点缘分的吧?

哪怕只有一点点，像丝线那么细弱，但是，我们活在这个世界上，终究不是完全的陌生人。

那么,会不会还有那么一点点缘分,他离开以后,我们还会有一天重新遇见?

已经没剩几个人了。

七春在我身后一屁股坐下，喃喃自语："哎哟，我的鸟！哎哟，我的大鸟！"

她那画着大鸟的红皮课本看来是因为太惹眼，已经被某个人先行拾走，珍而藏之；也有可能是当时她用力过猛，扔到了哪棵大树顶上，现在无力回天。

我把我精心挑选出来的三本看上去卖相很好成色不错的高一英文课本放在她面前:

"挑一本吧，姑娘。"

她嫌弃地捏着兰花指翻翻。

"你看这一本，空无一字，连个名字都没有，回头再包个新的红书皮，我给你画只新的大鸟，就和你以前的一样了。"我安慰她。

她最终接受了这个悲惨的现实。

很多天后她包着一样的书皮，上面画着一样的大鸟，却仍然一摸到书就生气。

“总觉得和我以前的不一样。”她说。

“哪里不一样了，都是干净得和没读过似的。”我说。

很多年后我想起这一段，才明白原来世间事从来没有完全一样的道理。

哪怕是同样流水线上印刷出来的书，这一本和那一本，因为你拿起的时间不同，它们就不一样。

可是，哪里不一样，只有你自己明白。

但那时我还没意识到，那个叫封信的少年，他恰好出现在我最干净的年华里，对我而言，这一生遇见再好的人，也终究抵不过他的轻轻一笑。

*哪里不一样，只有你自己明白。*

# 第三章

## *Flower*·孤勇

我原以为青春是慢慢结束的，但原来结束只在一瞬间。在那个人离去的雾霭里，青春再没有张扬的笑，也没有肆意的痛了。

## [楔子·纽扣]

那个扎个马尾巴的女生，其实第一次检查课间操扣她分的时候，他就记住了。

她校牌上的名字，程安之。

会记住她，是因为她偷偷看他的有点紧张有点装无辜的表情很像封寻。

儿时和他一起背药材表的封寻。

封寻记忆力没他好，爷爷考他们的时候，她总是偷偷看他，想要他给个提示，那时候的她，就是这样的表情。

但那时的他，是多么有原则，小小的脸故作严肃，一次也不曾让她如愿过。

后来她走了，他有时会后悔，如果当时多帮帮她，会不会爷爷选择留下她。

但她留，他就要走。

他们终究要分开。

那个时候，对于被女生喜欢，他已经有很多的经验。

甚至有时相熟的老师也会拿这个调侃。

但看似沉稳笃定的他，对这方面其实非常晚熟。

有时候看到那些情书里火热的字句，各种遥远得不真实的天荒地老，他会觉得迷茫。

那时他已经非常地，忙各种功课，忙学校的事务，还要挤出时间跟爷爷抄方随诊。

他不知道那些女生为什么会有那些时间去做梦。

但是程安之，她有一点点不同。

他有时候会从她的行为上，猜想封寻此刻在做什么。

如果她也这样喜欢上一个男生，是不是也会这样躲闪着张望，慌乱地打探，可怜兮兮又带着一点小倔强。

他想了想，发现内心里，竟然有一点希望封寻会是这样生活着。

平凡的、自由的，会为一点点小事哭又会轻易被逗笑的，像一株随处可见迎风摇摆的小草。

很小的时候他就依稀地感到，不是每个人都想成为参天大树。

只是有时被命运选中，没资格懵懂。

那天同班男同学抓着几张皱巴巴的纸跑进来，大笑着扔到他桌上的时候，他只扫了一眼，就认出画的是他。

画上的他，背着一个女孩，身后跟着另一个女孩，女孩扎着一个马尾巴。

那天晚上的事并无需瞒人，很快有人猜到那些画的作者是画中的两个女孩之一。

他没想到唐嫣嫣会来找他，澄清不是自己，于是答案就只剩下一个。

回去再看那几张画纸，心里就微微泛起了一点笑意。

她画功不算高明，但画到他的部分，看得出分外用心。

圣诞晚会那天，他不经意地瞄到她像只小猫一样溜过来，他以为她会鼓起勇气跟他说话。

但是她没有。

她竟然把手里不知从哪得到的一只丑得要命的恐龙偷偷放到了他的礼物堆里！

然后撒腿就跑。

她跑开的时候，他看到她的衣服上滚落了一颗纽扣，圆圆的、木色的，他走过去的时候，它孤零零地躺在那里，像只小眼睛。

他弯下腰，把它捡了起来。

后来的很多年，他清理过多次房间，也丢掉过很多旧物。

但那只红色的恐龙，不知道为什么总是被留了下来。

有次他不小心捏了它的肚子一下，才发现它会发出声嘶力竭的喊叫。

我爱你，我爱你。它鼓着眼睛重复着这一句不像示爱倒像生气。

直到电池耗尽。

他把那颗纽扣，塞到了装电池的那个拉链袋里。

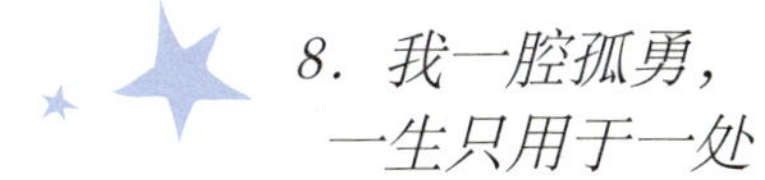

## 8. 我一腔孤勇，一生只用于一处

七月底的一天，蝉声轰鸣。

开学后我们就升高二了，整个暑假，几乎全部要在补课中度过。好在我和七春都选了文科，虽然分了班，但仍然在一起。

我趴在课桌上做数学试卷，头顶上呼呼转动的吊扇无法刮来一丝清凉，只让人觉得更加燥热。

碎发被黏黏的汗水贴在额头上，眼皮有些发痒，我揉了揉眼睛，突然感到后背有人轻轻用笔捅了我一下。

我偏了一下头，后面就递过来一张字条。

这是我们自习课上常玩的把戏，要好的女生和男生之间，用字条来聊悄悄话，中间帮忙传递的同学也会很自觉地不偷看，仿佛是不成文的公共协议。

我后面的后面坐的是七春，一般和我传字条的也只有她。

我打开字条，看到上面是陌生的字迹：

“我写信跟他表白了。”

我有些发愣，想是不是谁传错了，但是扭头一看，斜后方却是唐嫣嫣看了我一眼，眨了眨眼睛。

没有想到是她。

暑假后就开始按新的分班上课，唐嫣嫣也选了文科，所以我们成了同班同学。

但她一次也没有和我主动说过话。

我看着字条上清秀的字迹发呆。

他？

是他吗？

我打了个问号递回去。

这次回来的字很多：

“他前两天来了学校，好多同学去找他写了赠言。我不想后悔，也不想遗憾，所以把信给他了，不管结果如何，至少我做到了。你呢？”

我这才确认她说的是封信。

我也曾想去找他写赠言的，班上的女生很多都去了，我拿着本子，远远地看了他一眼，突然就失了兴趣。

我已经有了一本封信的幸运课本了。

这是我最温柔的秘密。

我的手按着试卷下的那半本数学书，它已经被我细心地包好，从外表看，不会被任何人发现异样。

连我妈都发现我最近恨不得吃饭睡觉都抓着那本数学书，感动得她连着给我熬了几天鸡汤。

我的数学成绩一向不好，但我有一种隐隐的感觉，一定会好起来的。

因为这本书里，有他那么近的气息。

有一页画了一只非常萌的小鸡，胖乎乎的身体正在用力啄米，头顶上好大一滴汗。

下面是他的字：勤劳的小鸡有米吃。

我仿佛看到他露出少年调皮的笑意，那是平日里的他少见的表情。

整本书页干净整洁，但并不新，每一页几乎都画满了记号，备注和提示无处不在。

我又仿佛看到在闪亮的光环下，他深夜伏案刻苦认真的身影。

如果说过去的封信是站在阳光里微笑的影子，那么现在他已经是悄然坐在我身边的邻人，有时会做个鬼脸，有时会皱起眉，有时会拍拍我的头。

程安之，我就在这里。

我会在前方等你。

我常常会被自己臆想出来的声音吓一大跳，但是接下来，却会有以前从来不敢想象的狂妄心愿钻进脑海。

我从小就是个乖巧的平庸的孩子，我从来没有过自己想要的东西，我的人生里只有被告之必须去做的那些事情。

是封信，让我荒芜的青春开始燃烧。

我蠢蠢欲动，居然想浴火重生。

我再次仔细看着唐嫣嫣递来的字条。

我想，那么羞涩内敛的她，竟然主动告诉我这件事，应该是心里已经想明白了吧?

鼓起勇气，给青春里做过的梦画一个句号，仅此而已。

有一天回忆起来的时候，可以微笑着说，啊，那就是我青春里的故事。

这样的故事没有开头，就已经结束，它们青涩、迷茫、纯白、幻想。

我猜，这是青春的心动里，大多数人最后的选择。

但是，我不。

我知道，一直知道，我不美丽、不聪明，甚至不够勇敢。

但那时我渐渐开始确认一件事，我喜欢封信，一定会比任何一个人都更加长久。

我一腔孤勇，一生只用于一处。

天涯海角，永不言弃。

我在字条上回唐嫣嫣："嗯，我也去。"

画个笑脸给她，我们算和好了。

*我一腔孤勇，一生只用于一处。*
*天涯海角，永不言弃。*

## 9. 你不如去校园里裸奔一圈，他会记得你天长地久永垂不朽

“你真的要去做这么傻逼的事啊？”孟七春趴在我的课桌上有气无力地摇晃脑袋。

她最近不顾校令烫染了头发，虽然不是什么夸张的造型，但微曲的栗色短发仍然让她增加了几分这个年纪少有的妩媚与明亮。

那一个瞬间，我不知道为什么，滑稽地想起了一件事。

几个月前的校运会上，女子八百米长跑项目，七春参加了。

发令枪一响，大家都狂奔出去。这时，不知道是哪个班的广播稿从大喇叭里清楚地播出来：“枪声响了，运动员们犹如脱缰的野狗奋勇向前……”

本来在参赛前号称有着必胜把握的孟七春听到这句后踉跄了一下，节奏一乱居然左脚绊到右脚跌倒。

然后所有人就震惊地看到迅速爬起来的她甩开长腿掉转方向横跨整个操场直奔广播台。

她没有做什么暴力的事，她只是细心地跑去看了看那份广播稿上的署名。

校运会结后，邻班某个男生“野狗”的外号已经传遍上下几年级。

但是更狗血的是，野狗同学不但没有为七春赐予外号而生气，反而成为了七春最热烈的追求者。

校运会后有一次他跑过来送玫瑰花，只有一朵就算了，最惊人的是当他像上世纪的偶像剧里男主角一样一身白衣面带深情把背在身后的手突然伸到七春面前时，还来不及念他的台词，那唯一的一朵玫瑰就在众目之下整朵从枝头掉落下来。

花朵整个儿砸在七春的小鞋面上，深红的花瓣顿时凄凉地散开，而光秃秃的花秆还握在野狗同学的手上。

明显，打折的玫瑰不靠谱。

毫无疑义这一幕在短暂的静默后被围观群众集体捶地疯狂哄笑。

那一次七春操着把椅子从野狗从此班追到彼班，野狗的号叫惊动教务处。

“老娘这辈子最怕傻逼，尤其是傻逼中的战斗机！”她愤愤地总结。

所以这一次，我说想亲手送给封信一张表白明信片，就被她痛心疾首地强烈吐槽了。

“你脑袋里长毛线啊？他们已经毕业了，你们以前不认识，以后也不会认识，再开学一切就结束了，何必再自寻一次烦恼。”她不能理解我为什么要主动丢脸。

“我想要他记住我。”我小声说。

是想了很久很久，在心里演练了一千次以上的话。

七春喷笑：“你不如去校园里裸奔一圈，他保证记住你直到天长地久永垂不朽。”

虽然这样嘲笑我和反对我，但七春就是七春，三天后她风风火火冲进教室，因为用力过猛，差点把整张嘴都塞进我的耳朵里。

“快拿上你的傻逼明信片，他来学校了！就在学生会办公室那里！”

我一瞬间明白了她在说什么。

没有再思考的时间，我抱着书包跟着她往外跑。

在二楼学生会办公室门口，我气喘吁吁，来不及顿住脚步，就直接被七春推进了虚掩的门。

我依稀听到她轻声说：“加油。”

我张口结舌地抱着我的书包站在那间不大的屋子中央，我想我那时的样子一定很傻很呆，而靠窗的办公桌后面，是面露惊诧表情的封信。

只有他一个人。

看上去是来收拾最后的东西。

他看着我，没有开口，也没有微笑，仿佛已经洞察了我此行的目的。

我不知道他记不记得我，那么多次如洁白羽毛擦过水面般轻微的交集，在他心里是否也曾留下哪怕是一点点的痕迹?

我不敢看他的眼睛。

那一天天气不好，阴阴的，大片的乌云堆积在天空里，好像要下大雨。

正是中午时分，学校里只剩补课的班级，空气异常安静和潮湿，像看不见的罩子把我们圈在其中，仿佛用再轻的声音，也会撕裂出伤口。

我还是开口了。

我说过，我对着镜子演练过一千次。

“送你一张明信片。”我从书包的小夹层里取得那张明信片，然后把书包放在旁边的空椅子上，再上前一步，双手把那张明信片递上。

我的声音紧得很陌生，但完成这一系列动作，我居然没有颤抖。

很多年以后，有一次聊起，封信说，我那时的表情，叫视死如归。

他接过去，动作很慢，但没有停顿。他并没有看，只是轻轻放在手边的一本书上，正面图案朝上。

那张明信片的图案，是澄澈的蓝天。

我曾经听说，他非常喜欢拍各种各样的天空。

“谢谢。”他说。

我发现他有一个习惯，看人的时候，从来目光专注。不回避，也不尖刻，像表面温和但实则坚决的旋涡，让人轻易感到软弱的崩溃。

我只抬眼了两秒就重新深深低下了头。

我不知道他为什么没有当场看那张明信片上的字，我也不知道自己是希望他立刻看还是不希望。

我小声地问：“你记得我的名字吗？”

我用眼睛的余光瞄到他微怔的表情，他眨了一下眼睛，又眨了一下。

他果然忘记了。

“我叫程安之。安之若素的那个安之。”我说。

终于说出来了，这句最重要的话。

我转身跑了。

跑到门外走廊上，听到封信的声音：“程安之。”

我站住，傻傻地回头。

他追了几步，把我落下的书包递到我面前。

“好好学习啊，加油。”他低下头看着我温柔地说。

我的眼泪瞬间决堤。

我一边哭一边往教室走。

我想他应该已经扫了一眼我明信片后面写的字。

“封信，我不知道别人的星星是什么样子，可是我的星星上只有一朵花，是你。”

“我叫程安之，安之若素的安之。”

那是我整个高中阶段最后一次见到封信。

他那一句赠言像一个干净而忧伤的句号，在那一天为我的青春暗恋宣布终点。

下午的时候大雨终于落了下来，夏日的雷雨伴着狂风闪电，冲击长空，轰轰烈烈搅得仿佛天地倾覆。

我看着窗外，一道接一道的闪电如长蛇般在雨幕里游蹿，三点钟的天空，已经如同午夜般墨黑。

有女同学开始捂住耳朵。

我目不转睛地盯着，在世界的异常喧嚣里，却越发听见内心里逐渐的沉寂。

那一天，我明白了一件事。

我原以为青春是慢慢结束的，但原来结束只在一瞬间。在那个人离去的雾霭里，青春再没有张扬的笑，也没有肆意的痛了。

但我从未有一刻如此明了，我要去的方向。

良久，我低下头，开始一张接一张地做模拟卷子。

# 第四章

## *Flower* • 天涯

如果说，当时惊艳，只因见识少。那为什么那么多年的时光，我的城池从狭小荒芜到繁华壮大，城中住的人，却仍然只有一个你。

## [楔子 · 笑忘歌]

银灰色的车披着冬日的薄雾，缓缓驶至山脚。

小山秀丽，似还不曾苏醒，以特有的安静的姿态，慵懒而眠。

半山上的建筑里，依稀传来清悠的钟声，若走近了，空气里能嗅到香火的气息。

封信把车停好，从右座上拿起被精心包扎好的花束，随手把黑色风衣后面的帽子拉上来罩住头，向半山的小庙走去。

今天带的，是特意要人从日本空运来的蓝紫色绣球花，冬日并不是这种花生长的季节，但是因为封寻喜欢，他就每每不惜辗转从异国温室订来。

想起出门的时候，爷爷看到他手里的花，眼里一闪而过的痛楚，饱经风霜的老人，却又强行压住情绪，想要悲喜不露。

"又去看阿寻？"

"嗯，前阵子忙，有两个月没去了。"他答。

"过了元旦，又是一年了……"老人终是忍不住叹息。

"快过年了，奶奶可以开始准备年货了。"明知道这年头，哪还有提早那么多办年货的需要，他却还是试图转移话题。

"去吧。"爷爷适时转身，不让他看见自己的表情。

他低下头，大约也是匆匆逃离。

封寻，他的孪生妹妹，就长眠在这小山中的小庙里。

经高人指点，横死的年轻灵魂要将骨灰寄于寺庙，求佛祖庇佑，以求来世安宁。

封寻也许得到了安宁。

死去的人，得以让她们的时间永恒。妈妈再也不会变老，封寻再也不会长大。

但是他还活着，所以他一步步从少年变成青年。

对封寻最后的记忆，是她那张宛若熟睡了的十八岁的脸。脸上和周身的血迹已经被擦拭干净，换上了她喜欢的漂亮的衣服，长长睫毛下的眼皮，却再也不会睁开。

他木然地伸出手去轻抚她的额头，在拨开的碎发下看到陈旧的伤疤。

听医生说，她全身还有多处陈旧性伤疤，虽都不是什么致命伤，但对于一个年轻的女孩子来说，却也足够触目惊心。

他不能想象，他的妹妹，在跟他们的爸爸同住后的这六年里，到底过着怎样的生活。

而在他们即将进入大学的前一个月里，在清晨的八月长街上，封寻被一辆疾驰而过的无牌车撞飞，送入急救室后，很快停止呼吸。

六年来，每一次见她，她都笑语如铃，未有一次向他提及真相，以后，也永不会提及。

封寻死后，封信断断续续从爸爸的失控号啕和封寻同学那里得知点滴。

因为高考成绩还是未能达到爸爸的期望，封寻再次遭遇了毒打，在罚跪一夜被醉酒的爸爸遗忘后，她摇摇晃晃地出门去给爸爸买他最爱吃的早餐包子，结果遭遇车祸。

她在一周前拒绝了封信来看她，她说，她要和同学去韩国旅游，看她最爱的那个偶像明星。

她或许已经预见到了什么，不忍最爱的哥哥面对她的凄凉处境。

这个小小的姑娘，终于在八月的酷热里疲惫地睡去。

她的死，成为封信心里高悬的锥，每一天周而复始地落下，扎得他鲜血淋漓。

封寻死后一个月，封信在所有同学老师的联络网里消失了踪影。

大学录取通知书被付之一炬，他头抵冰凉的石板地，在爷爷面前长跪不起。

从此，封老中医的诊堂里，多了一个贴身抄方的徒弟，老病人都知道，那是他的孙子封信。

衣薄欲飞的少年容色冰冷，对所有人惋惜和好奇的言语，保持沉默。

四年后，年轻的中医封信，声名鹊起。

*这个小小的姑娘，终于在八月的酷热里疲惫地睡去。*

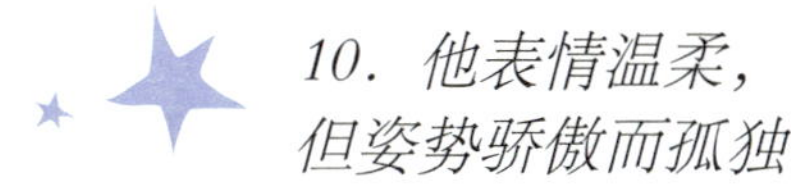

# 10. 他表情温柔，但姿势骄傲而孤独

八年后，我二十四岁。

走出机场的第一秒，就被飞扑上来的若素尖叫着用力地勒紧。

跟在她身边寸步不离的何欢像提小狗一样提着她的衣服把她从我的身上扒拉下来。

“注意肚子，晚上回家写检讨。”他言简意赅。

这是我第一次看到我的准妹夫。

听说是C城律师界的新传奇，今年三十五岁。据说当时刚刚大学毕业的若素跟他走到一起，妈妈曾经因为两人年龄的问题而激烈地反对过，但看到何欢本人时，就立刻在他强大的气场和俊朗的外表下自动消了音。

他是一个非常有魅力的男人。

也是小魔女程若素的天命克星。

我好笑地看着若素在何欢面前耷拉着脑袋的样子，想着他们两人半个月后即将举行的婚礼，还有若素肚子那里个刚刚确认存在的小生命，唯一的一点不安也消失干净，心里有一种满满的幸福与感动。

在路上，何欢开车，若素和我一起坐在后座，毛茸茸的脑袋一直在我肩膀上蹭。

这哪里还是原来那个张牙舞爪的小狮子，恋爱中的女人都是甜美的小猫。

“老姐，真的下决心回来啦？跑去香港读了四年大学，毕业了还在那工作，爸妈怎么劝都不回来，我们还以为你这辈子决心抛弃我们了呢。”她不满地哼哼。

明明是说过好多次的话，她还故意又说。

我默默扶额，看来这些年执意去远方读书和工作的亏欠，在很长一段时间里，都要用讨好的方式来弥补若素和爸妈了。

“对不起，不是工作都找好了嘛，这次回来就不走了。”我侧身轻轻拥抱她，像小时候那样。

“这么多年都想不通，以前那么老实胆小的你当年怎么会考到香港去读大学。不过高中最后两年你那么发奋，居然拿到全额奖学金，倒是把老爸老妈欣慰得老泪纵横。”她陷进回忆里。

是了，那两年我的人生真是乏善可陈，除了吃饭睡觉，就是画画念书。

机械的重复带来好的收成。

“不过老姐，你在香港这些年，变得好漂亮哦。对了我同事要你帮带的护肤品都带了没？要是没带她们会吃了我的。”她的思维还是那么跳跃和天马行空。

看似在专心开车的何欢突然用严肃的语气插言：“谁敢吃你？”

若素条件反射般大声回答：“你！”

答完才想起此刻场合不是两人独处调情时，顿时恼羞成怒。

我笑抽，拼命忍着扳正话题。

“带了啦，你去年去香港看我的时候不是买了很多嘛。”我说。

“没办法，闺密太多。”若素的注意力又被护肤品吸引，做了个鬼脸，她心满意足地叹气。

“婚纱照都照好了吧？”

“嗯。本来已经定好去马尔代夫照的，结果检查时发现意外……就随便先照了一套。”她苦脸看看自己的肚子，又瞅一眼何欢的后背。

虽然语似抱怨，但其实满是甜蜜。

“有什么关系，你在哪照都是最漂亮的新娘子。”我安慰道。

“那明天陪我一起去取。”

小小的车里仿佛堆满了粉红色的泡泡，甜得都快要溢出去了。

我真心替她高兴。

在若素唧唧呱呱的语声里，窗外熟悉又陌生的建筑和景物一一闪过。

那些从小到大走过很多次的街道变得宽阔，那些曾经最爱逛的小店已经消失不见，但一个城市熟悉的气息会深植在你的灵魂里，它换了何种外衣，你都依然亲切。

在外六年只回来了三次，但这一次，心境似乎不同。

这一次，是真的回来了吧。

我的家乡，我梦里最常梦见的地方。

我多愿它从此是终点。

第二天上午睡了个懒觉，然后和同样睡懒觉晚起的若素一起打车去拿她的婚纱照。

去的地方是本城最大的影楼，我们坐在红色的沙发上，翻看设计师送来的婚纱相册成品。

若素真的照得非常美丽。

那张和妈妈年轻时有七分相似的脸上，已经褪去了曾经的婴儿肥，依在高大英俊的何欢怀里，连看惯了幸福照片的年轻设计师也忍不住反复夸奖，语气里满是羡慕。

身边传来一个轻柔的声音："那套衣服不错，请问这是哪一件？我想试试。"

手指着若素的相册。

一抬头，居然看到唐嫣嫣。

我们都愣住。

忽然间，我的妹妹，我的朋友，都像八年前一样围在我身边，恍惚间，我差点以为时光从未走得那么远，似乎我只是在午后阳光里闭了一下眼，再睁开已经是各自成熟模样。

多像魔法。

"程……安之？"她不敢确认般，声音很轻。

"唐嫣嫣！"我抓住她的手，鼻子发酸。

她粉黛淡施，长发如瀑，挽着精致手袋，身边站着的面容平凡的男子应是爱人，一起来看婚纱照，想必好事已近。

大学时我刚去香港，我们还有联系，但后来渐渐稀少。

她换了几次手机号，不知何时就消失在人海。

太多的故人，皆是如此。

但在这街头重新遇见，却仍然百感交集加欣喜若狂。

“我不敢相信是你……我对你妹妹的样子还有印象，看到你们在一起，才觉得可能真的是你！”她用力摇我的手。

我们拥抱在一起。

召唤何欢过来接走若素，唐嫣嫣也遣散了她的良人，我们一起坐在咖啡厅里叙旧。

“我以为你会留在京城打拼几年，没想到这么快就结婚了。”我感叹。

她大学时考去北京，柔弱的外表，却是要强的个性，我以为她会喜欢那个城市。

她轻笑，修长的手指转动咖啡杯。

“大学时疯玩了几年。”

“你？”不可思议。

“嗯。你肯定想不到，我大学时抽烟、喝酒、泡吧，换过六个男朋友，把这辈子该玩的全都玩过了，好像人生一下子就过完了。”她按铃叫来服务员，点了一盒女式烟。

袅袅上升的烟雾里，她姣好的面容变得模糊，刚才在婚纱店里见到的明丽温婉的唐嫣嫣不见了，我在她的眼神里，居然看出几分烟视媚行来。

我惊住。

和我一起画墙画的唐嫣嫣，听到不利传言会哭的唐嫣嫣，挑婚纱照的唐嫣嫣，抽着烟淡漠着表情的唐嫣嫣。

我有一种错乱的感觉。

“发生了什么事？”我记得她大一时我们还有联系，她还向我倾诉过那个在她窗下弹吉他的男孩。

“很普通的事，有个男孩疯狂追求我，我终于也爱上了他。但是在我最幸福的时候，他决定跑去给别的女孩弹吉他，我才发现我不过是他的数个听众之一。”

果然是最常见桥段。

“我苦想了半年，想爱情到底是怎么回事。后来发现想不明白，我决定去实践中寻找答案。”

最后呢?

“最后玩到大学毕业，我妈叫我回来，说结婚对象已经安排好了，是政府上班的公务员，人不错，前途不错。我就回来了，和他谈了两年恋爱，准备结婚。”她说话的声音依然轻柔，但手指间的香烟却令她的倾诉饱含风霜。

我把手盖在她的另一只手背上，轻轻拍她以示安慰。

“你后来怎么样? 怎么没留在香港嫁个有钱人? ”她调侃我。

“没有有钱人要我，只好回来。”我讪讪而笑，心里却浮现出彦一的影子。

“你什么时候回头，我都在这里等着。”他的脸还是那么苍白，但眼睛黑亮如婴儿，那么认真和专注，那样的眼神总能让我想起一个人。

“回来有目标了吗? ”她按灭香烟，烟雾渐渐散去，她又变成那个温婉的宜家女子唐嫣嫣。

“还没，昨天才到，先把工作的事定了。”

“没想到你会变女强人……还是趁年轻，像我一样，挑个好卖家，安定下来吧。对男人来说，女人不需要太能干和聪明。”她诚心诚意。

“嗯。”我点头附和。

但话题无法再深入，我们开始吃午餐。

告别的时候，唐嫣嫣突然看了我一眼，笑了笑说：“你还记得我们高中的时候都喜欢同一个男生的事吗? ”

当然记得，那是我们的友谊曾经最重要的转折。

她不提那个名字。

“我还给他写过情书……那时候真单纯，对不对。后来我才明白，对男生哪里需要那么麻烦，他们其实都一样，用点手段分分钟可以搞上床。”她耸了一下肩。

我没有接话。

我们互留手机号码告别。

一个人走在回家的路上，我没有立刻坐车，让十月的微风吹拂着我有些混沌的头脑。

这才确认，原来时光真的已经过去八年。

八年的时间，让少女纯白的履历画上七色彩虹，上课铃消失的时候，下课铃也同时不再了。

我突然，很想闻闻高中校园里，那甜美的桂花香。

这是我高中毕业后第一次回到这个校园。

已经是深夜时分，所有的教学楼空无一人，有月光，并不黑暗。

月光照着白色的教学大楼，它的外墙已经斑驳，有一面爬满常春藤。

我慢慢走到学校的大铁门外，透过布满铁锈的栏杆，贪婪地朝里张望着。

那曾经种满围墙边的桂花树已经不见了，围墙被拆掉，校园得到扩建，操场还是在原来的位置，但是十月的空气里没有了桂花的香。

闭上眼睛，仿佛还能听见那熟悉的广播体操音乐，上千的学生穿着同样的校服，在懒懒地做着体操动作。

白衣的少年，目光扫过所有人群，他表情温柔，但姿势骄傲而孤独。

睁开眼睛，所有幻象消失，月光不说话，星星不说话，花朵也不说话。

整个世界，仿佛只剩下我一个人，守在回忆里。

脸上有一些潮湿的东西，在夜风里迅速冰凉。

我轻声对自己说：

“封信，别来无恙。”

## 11. 原来他一直留在原地，而我却傻傻地追去天涯海角

“安之！程安之！”有人用力敲门，语带哭腔。

我穿着睡衣跑去开门，顺便抬头看了一下挂钟，凌晨两点。

听声音是孙婷。

孙婷是我的新朋友。

回来已经一个多月，我迅速进入新的工作环境。在香港时我就职的是一家国际教育集团，分支机构遍布全球，我当时虽只入职两年，却深得我上司欣赏，当我坚决要回C城的时候，上司劝说无果，最终帮我申请了平级调动到C城的分公司任职。

我负责一款韩国引进的早教产品的改编开发，项目组里有十余人，在没有做出成绩前，大家对我这种空降身份持理所当然的冷淡观望的态度，但只有行政部的孙婷对我友好。

她心思单纯，为人热情开朗，听说我在找租住的房子，立刻介绍了她楼下的一户待出租空房给我，我去看后觉得不错，就此和她做了邻居。

其实刚刚回到父母身边，本是不应独居的，但是这些年我已经养成了深夜工作的坏习惯，妈妈看到不免心疼阻拦，所以还是坚持出来租房。

我打开门，果然是孙婷，光着脚穿着拖鞋，失魂落魄地一把抓住我。

“土豆发烧了！我怕我怕！”她像小孩子一样跺脚。

小土豆是她两岁多的儿子，小家伙虎头虎脑，非常可爱。

平时土豆都是奶奶照顾，孙婷少有亲自哺喂经验，这会儿奶奶到其他城市探亲半个月，她老公小梁又出差了。

我跟着她跑去看土豆，土豆小脸果然烧得红红的，喘气很粗，间或着大哭呛咳不止，看起来令人心疼。

“我们家奶奶一定要我现在把他送到平时最熟的医生那里去，不许去别的医院。她刚才已经电话和医生约好了，你能开车陪我去吧？”她眼泪都快滚出来了。

自从一年前孙婷自己开车出过一次事故后，她就再也不敢自己开车了。

深夜抱着生病的孩子打车又怕站在街边吹到冷风。

我手忙脚乱换衣服，然后孙婷抱着土豆，保姆拿着其他东西，大家坐电梯下到车库一起上车出发。

我对路还不熟，车也是孙婷的车，我第一次开。但幸好半夜车少，二十分钟后也算顺利开到了。

土豆奶奶指定的医馆是繁华地段的一栋四层建筑，在周边的大厦中，它显得扎眼的矮小，但“风安堂”的古朴牌匾和一下车就能闻见的淡淡草药香却让它为这个城市平添一份文化感。

我停车的时间孙婷和保姆先抱着土豆匆匆进去了，我看到有护士连忙打开门，门里漏出暖色灯光。

当医生真的很辛苦。

我一边感叹，一边泊好车跟进去，进门时瞄到一眼旁边的玻璃，玻璃上映出自己头发乱糟糟。

进去后先是抓药的大厅，一面透明的药柜里陈列着各种上好药材，另一面靠墙则是褐色的木质药隔，庄严而优雅地一层层排满至顶。我过去在香港经常见到这样的大型中医馆，但回来后反而很少看到。

穿过大厅进入有着灯光和语声的医生办公室。

背影年轻挺拔的医生正背对着我们在触诊小土豆。

孙婷跟在他后面团团转。

“怎么样？封医生！不会烧傻吧？我婆婆不让我给他吃退烧药，说先抱来给你看……”

路上她已经提到过，这是全城最有名的中医生之一，据说每天排号一百个都不够，黄牛党炒卖代挂号都已经炒到两百块一个。

“那他怎么会半夜接诊土豆？”我好奇了一句。

“这个说来话长了。其实我婆婆呀，年轻的时候可是大美人，据说被那医生的爷爷追求过，现在人老珠黄了，人家的爷爷还念念不忘，我家土豆只要生病，总是一个电话就把他孙子给轰起来了。”孙婷口无遮拦。

但是此时此刻，那年轻医生的背影一进入我的视线，不知道为什么，我的心就无缘由地猛烈收缩了一下。

像猝不及防中被重拳击中，一瞬间没有任何思考就要倒下。

封医生。

孙婷居然没有提到过这医生的姓那么特别。

她没有给我任何心理准备。

那沉稳转身的男人，依旧美好的面容，略带疲惫的神情，在梦里出现过千次万次的脸，却再也不敢下笔描绘，怎么会就这样出现在我一尺之遥的地方？

八年前，含笑的少年与面前英俊的面容如幻灯片般重合在一起。

封信转过身想对孙婷说什么，却蓦然见到我的样子，面上小小一怔。

孙婷顺着封信的目光转脸，也发现我的异样，吓得赶快扶住我。

封信很自然地一伸手搭住我的脉搏。

成熟而优雅的医生。

他的手指依然温暖，却比八年前更沉稳有力。

“是我朋友……可能是我半夜突然把她叫起来开车太急了……安之，程安之你还好吧？”孙婷非常不安，转头向封信解释。

我没事，我只是有点颤抖。

我看到封信听到“程安之”三个字的时候表情并没有变化，他示意护士端来一杯热水。

“坐一下定定神。”他说。

他原本语声就沉静，现在连那一丝少年的轻快调皮也去掉，分明是温和语气，却只让人觉得夜凉如水。

他不记得我了。

我写了明信片给他，请他一定要记住我的名字。

但他还是那么自然地把我忘记。

孙婷看我无事，嘱我坐着，又和封信去交谈小土豆的情况。

“麻黄 3 克、杏仁 9 克、芥穗 12 克、桔梗………”

宁静空气里的语声，如静湖深处最温柔的水草，穿过那么长久的时光，穿过那么深沉的思念，将我一点点缠绕、吞没。

我是何其幸运，今生得以再见。

我又是何其不幸，与君仍是路人。

我坐在封信的医馆门口的台阶上，抱着膝盖埋着头像一只被弃的小狗。

我想起三个月前，我在香港接到在西藏旅行的七春打来的电话。

她是我多年来唯一保持着联系的朋友。

在电话里，她的声音因为信号原因，有些模糊，但我知道，她一定是用的那种恶狠狠的语气:

“回去吧，封信不在香港，他现在就在 C 城。前几天有同学看到他了。”

“当年他高考后就没有了消息，没有任何同学老师知道他的去向。他原本报考的两所大学，一个在北京，一个在香港。你跑去北京那所大学一个系一个系地找，确定他没有去北京。你就毫不犹豫地选择了香港那边的大学。”

“这些年你在那边读书，在那边工作，一把年纪了连个恋爱也不谈，还不是想在那边遇到他。”

她高亢的声音到了最后，终是一声叹息:

“程安之，我不知道该扇你一巴掌，还是该赞你一声好棒。你这个二逼女子，居然在挑战世界上最强大的东西，时间……”

在那个电话后，我没有一秒停留，开始交接我在那边的工作，联系回来的事情。

彦一说，他就是在那一刻死心的。

这个城市这么小，我才回来一天，就遇见唐嫣嫣。

这个城市又这么大，八年了，才有同学偶然传来见到封信的消息。

原来他一直留在原地，而我却傻傻地追去天涯海角。

*这个城市又这么大，八年了，才有同学偶然传来见到封信的消息。原来他一直留在原地，而我却傻傻地追去天涯海角。*

## 12. 让你从此不再惊，不再苦

若素的婚礼，全是何欢一手操办。

这个男人能力非凡，且敏感细心，这些天来对若素的呵护宠溺毫无遮掩，已经被我真正视为亲人。

虽然对于他们的爱情，婚礼只是一个补充的形式，但双方父母都是本地人，各自有不同人脉，婚礼要求就是风光。

确实是风光。

本城环境最好的假日酒店，从穹顶到椅背罩布一律是金色却不显俗气，满铺的干净地毯只让人觉得背也须挺直几分。

何欢打点得太完美，几乎没有需要我这个姐姐插手的地方，我只分得两个任务，一是陪着美丽的若素在休息室边等边聊天；二是交换戒指和宣誓的环节，为若素弹奏她最爱的钢琴曲《summer》。

其实我不会弹钢琴，只是最开始和彦一接触的时候，他变着法子为难我，其中有一项就是要我弹《summer》哄他入睡。

我用了世界上最笨的方法，找了一个会弹钢琴的同学教我反复强记练习，半年后有一天我在彦一家的客厅里流畅地弹出这个曲子的时候，我们的关系已经很好，他也已经忘记了当时给我出的难题，但我把它当成生日礼物送给了他。

他十九岁的生日。

那一天他安静地听完，然后抱住我号啕大哭，我吓坏了。

但从此以后，我说什么，他都听从。

这个孤独脆弱得像一片云朵一样的少年。

这首曲子，也成为我这个不会弹钢琴的人，唯一会弹的钢琴曲。我对它的熟练程度，恐怕在行家看来都几可乱真。

这个秘密有一天说给若素听，于是被她威胁。

“你给你的香港弟弟弹了无数次，你的亲妹妹吃醋了！”她理直气壮，“这也是我最爱的钢琴曲，老姐你不给我婚礼上弹，我就吃了你！”

她最近很喜欢用“吃了你”这个说法，我很怀疑是何欢的影响。

但我没办法不妥协。

此刻，手指在琴键上游走，熟悉的曲子在空间里温柔地流动，我看着爸爸把妹妹的手交到那个成为我新家人的男人手中，不知道为什么，鼻子一酸。

那一刻下面宾客的喧哗，远远传来的孩子欢叫，服务员上菜的身影，空气里的淡淡菜香都不知不觉淡去。

眼泪不经意间浮上来。

我的妹妹出嫁了。

而远方的彦一，有一天，上天也会给你这样的幸福归属吧?

让你从此不再惊，不再苦，不再对外面的世界害怕。

因为哭了，视线就有些模糊，待仪式结束，大家开始吃喝，我忽然听得一声大喊——

“程安之？”

我揉一下眼看去，竟然是何欢的爸爸。

“何老师？”我眨眼睛，声音迟疑。

他穿着唐装喜气洋洋地一把抓住我的手。

“你回来了？你怎么没发邮件跟我说？哎呀你是小素的姐姐？这太巧了吧！亲上加亲……”老人本来就激动，这会儿更是红光满面。

真的是何老师。

因为我才回来不久，又忙于自己的工作，并没有机会见到何欢父母，第一次相见，才知是故人。

那时我才大二，一边陪着彦一调理身体，一边跟他学习些古玩鉴赏知识。他对于各种年轻人喜爱的电子产品都没有兴趣，唯有对这个着迷。

我为了迎合他，也趁机学了不少。

有次去荷里活道淘货，就遇上来旅游的何老师。那时我还不知道他是大学老师，只听得他旁边一起的人这么叫，大家交谈的口音分明是 C 城人，我一时乡情汹涌，求着彦一帮那犹豫不决的老人看看货。

何老师当时看中了一个老砚台，却拿不准价钱，不敢出手。

在彦一不情不愿的别扭指点下，那砚台最后以合适的价钱成交，但因为彦一的脸实在太冷场，我只好主动活跃气氛，搜肠刮肚把我学的那点古玩知识全奉送给了异乡街头偶遇的有缘人。

不料使得豪爽的何老师对我好感倍增，最后我们越谈越热络，索性双方留下电邮，说保持联系。

回去后他真的发来邮件，他学识丰富谈吐幽默，看他字句也是件愉快的事，几年下来我们一来一去通邮无数，已成了君子之谊的忘年交，但未再见过面。

他经常会发些他淘来的宝贝古玩照片给我，我对于在另外半桶水面前售卖自己的半桶水也充满成就感。

有时他也会写到他的儿子。

在他的描述里，他属于老来得子，且是独苗，原本寄予无限厚望，希望他也继续文化教育行业，为何家一脉书香添砖加瓦。

谁知那小子心性顽劣，做事一意孤行，又是开网店，又是搞工厂，又是半路改读法律，干事没长性。女朋友经常换，眼看已经年过三十，却无意婚姻，存心要断他何家香火。从小到大对于父母的话十句听不进一句，完全是个浑小子。

我现在才知道，他描述的竟然是何欢。

那个成熟能干完美无缺的我的妹夫何欢。

我哭笑不得。

这才想起所有严厉父亲对于儿子的期望，恐怕都是埋怨里带着骄傲的。

婚宴快到尾声时我把若素交给老妈，自己去卫生间。

卫生间是那种男女入口分列两边，中间是共用的洗漱台的设计。

我一边洗手一边想起这次回来竟然和何老师变成了亲戚，命运的奇妙实在让人感叹。

而前晚见到封信，又是命运的何种安排?

一出神就犯错。

当听到有人在背后提醒“请让一让”时，我才发现自己堵在了男卫生间出来的通道上。

我慌忙一让，却脚下一滑，高跟鞋在潮湿的地板上踩偏。

身后的人及时扶住了我。

我回头道谢，一下子呆住。

八年前初见他时被闪电击中的感觉重新降临，我这才确定在命运里有些人注定对你是个魔咒。

穿着黑色衬衣的封信绕过我，走到洗手台边开始洗手。

我身边墙上就是抽擦手纸巾的盒子。

我机械地凭本能抽纸擦手。

但是我的全身都处在绷紧的状态，我不用回头，也能清楚地知道，水流过他的手掌，他用了洗手液，水又开始流动，停止了，他朝我走过来。

他朝我走过来?

我一偏头，就看到他站在我面前，大概也是想拿一张擦手纸巾。而他的旁边，站着一个扑克脸的清洁工阿姨。

阿姨小声抱怨：“现在的年轻人太不懂事了，擦个手要扯这么多纸……”

我这才发现自己刚才魂飞天外时一直在一张接一张地扯着纸巾盒里的纸，此刻手上已经抓了满满一大把。

我见过有些中年妇女因贪小便宜，会在这种公共卫生间抽大量的厕纸回去家用，想来我现在也是这般形象。

这下连打招呼的勇气也失去，我失魂落魄慌不择路低头而走。

回到大厅看到何欢和若素已经开始站在门口送客。

我走到若素身边，还没说什么，就看到封信也走了过来。

走到一半，就被喝高了的何老师冲过去一把截住，猛拍其手臂。

“臭小子，回去跟你爷爷说，我儿子结婚他都没来，我饶不了他！”

“爷爷去北京了，实在赶不回来，所以叫我代他来祝贺。等爷爷回来一定找您喝酒。”封信好脾气地轻拍何老师的背。

我听到若素倒抽了一口冷气，惊讶地问：“他……他是？”

何欢低声解释：“他爷爷是中医界的老泰斗人物，和我爸是好朋友。虽然退休了，但那些在京的老领导有些什么身体不适，还是指定要他爷爷去看诊。他刚才好像来晚了。”

所以若素敬酒时没见到。

我偷偷挪动脚步往后退一点，看封信打发了何老师，又过来跟何欢祝贺告别。

“恭喜。”他的声音很近。

恍惚间，我感觉到手被人握住，而我自觉手心濡湿，全都是汗。

竟然是若素。

她一脸好奇地侧过脸小声地在我耳边说话：

“姐，他是封信？我们高中同校的那个封信？你以前喜欢过的那个封信？”

我不知道怎么回答，手机在振动，我条件反射地接起。

孟七春明亮如五月阳光的声音从话筒里欢跳着涌出来：

“程安之！程安之！我回来啦！我要跟你住！我要给你个大惊喜哇哈哈！”

我不敢相信自己的耳朵，她这些年在外一边旅游一边做自由职业，上次通电话还说近期不会回来的。

“你在哪儿？”我欢喜地叫了出来，突然间提高的声音让何欢、封信、若素都投来目光。

“一行白鹭上青天，老子挤在正中间！我正在堵车！但是马上就快到你的地盘了！”

*八年前初见他时被闪电击中的感觉重新降临，我这才确定在命运里有些人注定对你是个魔咒。*

# 第五章

## Flower・暗夜

当一个人爱上了某个星星上的一朵花。她会发现，整个夜晚都像花园般为她绽放。人只要爱着，就不会感到疼痛的，所以你看，你从未带给我伤害，是你让我感受到浩瀚星空。

# [楔子·七春]

她的妈妈，一生结过三次婚。

第一次，是和她的爸爸，生下她。

第二次，是她六岁那年，一次大吵后爸爸提着包离开了家，不久后妈妈再嫁。

第三次，她十岁，已经大致懂事，能够看似平静地接受又一次离合聚散。

只是那一年，妈妈对她说，以后你跟我姓吧，改姓孟，孟七春。以后妈大概还要换男人，你就当他们都是猫狗，乐了逗逗，不必在意。这一生，你只是妈一个人的女儿，不认其他。

她笑嘻嘻地答应。

那时就隐隐感到，妈妈会一语成谶。

果然一年后妈妈再次离婚，从此以后再不结婚，家里却不曾少过男人。

她不知道自己为什么叫七春，妈妈也没有解释过。她和朋友开玩笑的时候就会说，大概是我妈发了七次春后怀上了我。

从小到大，每个同学都喜欢她，因为她豪爽开朗像冬天里的一把火，一不小心就会燃烧整个沙漠，何况是小小学校。

她妈妈在她家住的那条街上活得那么风生水起，火树银花，大概也是因为这样的性格。

不畏人言，无视规则，热情正直，善良凶猛。

女人怕，男人爱。

她并不以妈妈为耻，反而觉得妈妈是自己的骄傲，然而在偶尔母女独处的时候，她渐渐看得懂妈妈的寂寞。

妈妈的一生，有着许多问题没有寻找到答案。

这也无形中影响了她的一些观念，比如爱情。

最初和程安之成为朋友，只是一种习惯。

习惯性地呵护和感染每一个视线内的人，希望成为他们的中心。

那个转学生，看上去像一颗有点呆的蘑菇，对人说话时总是小心地赔上微笑，如果不被领情就会沮丧地退到一旁。

后来她大方地走上前，伸出手来，不出意外地收获到程安之单纯热烈羞涩惊喜的目光。

被孟七春罩过的人，都不会太孤独，很快大家就接受了那颗蘑菇，她愉快地成为集体的一员。

原本以为程安之只会是她许多朋友中最普通的一个，却不知从什么时候起，渐渐成为了她最好的朋友。

当程安之和她分享自己最大的秘密，对那个叫封信的男生的暗恋时，她的心里，是条件反射般冷笑了一声的。

然后又飞快地自我厌弃。

正是鲜花开遍的年纪，对美好的爱情有着太多的幻想，因为妈妈的经历，却抗拒自己去傻傻相信。

这样矛盾的阴郁的自己，在最好的朋友面前也不敢表现，看着朋友的沉沦，像在看一场小小的戏。

封信离校的时候，她曾以为，一切都结束了。

就像妈妈有过的爱情，和每一场青春电影。很多人喜欢追梦这个词，那是因为真正去追的人太少，人一旦认识到自己的前方是梦境，就会望而却步。

没有人喜欢做傻子。

但是她有些震惊地发现程安之变了。

直到香港那所大学的录取通知到来，她才不得不接受这个事实，程安之，她真的在追梦。

后来的很多年里，她在各地流浪，走走停停。

她一直和程安之保持着密切的联系，甚至有一次在雪山上摔掉了手机失去了所有的电话号码，她竟然还能背得安之的那个。

那个姑娘柔柔细细的声音，有着一种令人安心的力量，她说不出那是什么，但像极她儿时爸爸未离去前的家。

况且她的心里一直有一个结，就是要看那个没有男主角出席的故事最后会如何落幕。

多少次在深夜里自问，想起那个一直追在自己身后的男孩时，他渐渐长成男人的模样，坚定的目光却一如既往——她都会想到安之。

仿佛是冥冥里需要一种证明，证明这世上，存在着一种比恐龙还珍稀的东西，叫至死不渝。

她内心里有两个小人，深藏不露，一个冷眼，一个哭泣，都想要一个答案。

这大概是一件可笑的事情，把自己的命运，自己将去的方向，寄于别人的坚持之上。

其实一直以来，真正软弱的，对爱情恐惧的，正是她自己。

*没有人喜欢做傻子。*

## 13. 原来他已经结婚了!

我手上负责的那款韩国教育产品改编,总部寄予了较高的期望。我回来不久,一方面自己需要扎根,另一方面不能给原来的上司抹黑,是她一力举荐和担保了我,所以回来后一直忙得昏天黑地,连陪若素和妈妈的时间都少。

我们公司旗下有一个叫“青果树”的早教品牌,负责给学前儿童进行一些国际化理念的早期潜能开发和培养,在本市有分支。

为了在产品开发阶段就对受众进行有效沟通和测试,我通过总部和本地机构负责人琴姐取得了联系,以任课老师的身份,每周在那里兼职一堂早教课。

现在的妈妈都非常注重孩子的早期教育,尤其崇尚西式教育理念。听说我原来在总部就有过相关的实习经历,琴姐立刻头脑灵活地打出“香港总部教育专家莅临”的旗号,我那节课报名的人数瞬间爆满。

我虽然对琴姐的这种注水宣传不以为然,但也只好尽力准备。

若素婚礼的第二天,正是周日,也是我在“青果树”的第一堂课。

我这节课人数上限是十个孩子,我是主课老师,还有三个助教老师,都是二十多岁的年轻姑娘。

因为提倡混龄教育,所以十个孩子的年龄不一,大大小小的孩子在老师们的统一看护下,可以自由选择各种玩具,进行他们感兴趣的工作。

我负责开发的那一系列早教绘本就放在书架中间，有孩子主动表现出兴趣，挑了过来要我读。

当我开始读故事书的时候，孩子们渐渐放下手里的玩具聚到我身边来。

我一边读一边观察，发现只有三个孩子没有围过来，其中有一个穿着红色公主裙的小女孩引起了我的注意。

她看上去应该是今天来的孩子中年纪最大的，在四五岁间。

从上课开始，她就一个人跑到窗边的玩具架那里，背对着老师做什么。

我们之前设置了不少环节，引导孩子们自由加入我们的游戏，总有一些部分会吸引不同孩子的注意，只有她一直无动于衷。

年纪最小的菲菲老师走了过去。

蹲在她身边轻声和她交谈。

不知怎么回事，小女孩突然间哭了起来，哭声越来越大，我看到菲菲老师面露不悦。

我把手中的绘本交给另一个助教莎莎，要她继续给大家读故事，自己走了过去。

“怎么了？”我蹲下来轻轻抚摸小女孩的头发，放柔声音安慰她。

我想起来她叫小圈圈。

小圈圈捂着自己的肚子，呜咽着说：“我疼……老师，我疼！”

我吃了一惊，把她小小的柔软的身体抱在怀里。

“哪里疼？”我一边抱她，一边看到一旁的菲菲的表情，她朝我递来奇怪的眼神，并偷偷地冲我摇头。

我觉察出可能哪里不对。

我轻声问小圈圈是否要通知她的妈妈。

一般情况下家长都会在教室外等待。

小圈圈蓦然止住了哭声。

她是个非常漂亮的孩子，眼睛尤其大，有眼泪滑过脸蛋的时候，会让人觉得莫名的心疼。

她睁大眼睛怔怔地看我一眼，突然说：“安老师，我不疼了。”

然后她就真的没事了一样，从我的怀里挣脱出来，蹦蹦跳跳地跑到一边玩玩具去了。

看到我惊讶的表情，菲菲在我耳边轻声说："这孩子每次都装病，她妈妈说在家里打过她无数次，她还特别喜欢说谎。"

我严肃地看了她一眼，阻止了她继续说下去。

两小时的课程结束后，我把自己准备的小礼物送给每个来上课的孩子。

孩子们都开心极了。

轮到小圈圈的时候，我把小礼物中最打眼的那只米菲兔娃娃给她。

我说："今天小圈圈表现得非常棒哦，非常勇敢！虽然开始有点肚子疼，但只哭了一下下，所以很快就不疼了，安老师非常喜欢小圈圈这样勇敢又懂事的小朋友！"

我看到小圈圈非常意外地张大了小嘴。

她似乎在仔细地观察我的脸色，判断我说的是不是反话。

但是她终于确认我是真心在夸奖她。

她漂亮的小脸上不知不觉浮现出了一种害羞的神色，看得出高兴。这是我见到她两小时以来，她第一次浮现出真正属于孩子的可爱神态。

走出教室的时候，她一直拉着我的手，她的妈妈迎上来。

我再次向她妈妈重复了"小圈圈今天表现得非常棒"，但没有提到她装肚子疼这一节，我记得菲菲说的，她妈妈经常为这样的事打她。

她妈妈看上去是个非常精致美丽但神情冷峻的女人，听了我的话，脸上竟也现出一丝意外来。

我依稀了解到这个才四岁多的孩子之前是多么恶评如潮。

但那时我只是隐隐心疼这个孩子，却做梦也不曾想到，小圈圈和我的故事，会有着不可回避的交集。

上完课才三点多，我想到七春今天已经风风火火跑出去见故人去了，于是也不急着回去，就慢慢地在街边走走。

已经是初冬，街上的人有的穿起了薄薄的羽绒衣，我也是怕冷的人，早早裹上了围巾。

不知不觉，走到了"风安堂"来，原来这医馆离我上课的地方只有两站路。

我在街的对面站定。

医馆的门口有不少人进进出出，更多的是带着孩子的家长，他们的脸上浮现着或忧虑或希望。

我不知道封信有没有在里面。

这么多年来，我一直抱着一个模糊的信念，想要追上他离去的背影，想要找到他，想要重新与他遇见。

但是从来不敢去想，即使再次相遇，我们仍然只是陌生人。

手机响了起来，我一看，是若素。

犹豫着接起。

电话里若素的声音充满八卦的激动："哇，姐，我刚刚从何欢那里打听到的消息，你还记得封信吧？昨天在我婚礼上遇到的封信？你原来喜欢的那个人呀！"

我的心一沉。

隐隐不好的预感。

昨天我刻意避开了若素的追问，也没有向何欢询问什么，也许就是害怕这一刻的来临。

"他怎么了？"

"原来他已经结婚了！然后又离婚了！听说还是被女方甩了！太不可思议了吧，读书的时候他多优秀啊，那样的男人也会被人甩？！"

"……"

"喂喂，老姐？喂？信号不好吗？"

"嗯？我在，那他现在呢？"

"现在？现在不知道哎，何欢也不喜欢向他爸打听这些，只知道还没有再婚……喂，我说老姐，你不是要犯傻吧？不会又心动了吧？以你现在的条件，不至于要去喜欢一个离过婚的男人吧？"若素紧张起来。

我叹气。

太阳穴越来越胀痛，有着一跳一跳的感觉。

以前我忧愁的时候，就喜欢晒太阳，听说太阳光里有某种物质，多晒会使人变得快乐。

但是此刻阳光也无法驱走我内心的难过。

良久，我低声说：

“若素，如果有办法，又怎么会有人想要犯傻。”

可是，他却是我无法抽身的宿命。

无论远，无论近。

话筒那边，传来若素轻轻吸气的声音。

我抬头看着街对面那木红色的木质门廊。

封信，你知道吗，我从早教中心出来，走到这里，我一共走了两千四百四十三步。

可现在我站在你的门前，却再也不敢前进一步。

原来，这就叫咫尺天涯。

*“若素，如果有办法，又怎么会有人想要犯傻。”*
*可是，他却是我无法抽身的宿命。*

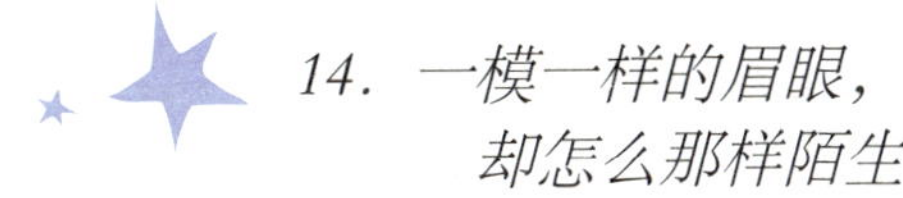

## 14. 一模一样的眉眼，却怎么那样陌生

夜幕降临时，我回到租住的屋子，七春打电话说她在外面吃饭，昨天她下了飞机就直接冲到了我这里把行李放下了，说要在我这住一阵子。

我有太多的话想对她说，她是知道我秘密最深的人。

但她一直那么那么的忙。

我寂寞地撕开泡面的袋子。

外面传来欢快的敲门声，孙婷像只兔子一样蹦了进来。

“喂，安之，晚上去泡吧吧！我婆婆终于回来了，我解放了！”她兴奋之情溢于言表。

我摇头：“不去，我不爱去酒吧玩，再说今天头疼，晚上还要加班做事。”

孙婷抢过我手里的泡面直接扔进垃圾桶。

“去我家吃饭！然后跟我一起去泡吧！工作催人老，你不要还没嫁人就把自己弄成黄脸婆好吗！”想想又眼睛一亮地说，“对了！我那帮朋友呀，中间可有几个都是未婚钻石男！我今天非拖你去不可……”

我抱着头痛苦地说：“好吧，说实话吧，是要在你婆婆那拿我当借口？”

孙婷嘻嘻一笑：“安之我和你前世一定是亲姐妹，你真是太善解人意了……我和我婆婆说陪你去相亲，如果说去泡吧她不命令她儿子休了我呀。”

于是，我就愁眉苦脸地“被相亲”了。

孙婷其实不是那种玩得很过火的午夜场女孩子，她完全是没心没肺型的爱热闹型，结婚前就朋友无数，爱唱爱跳。她老公小梁也是在一次朋友聚会中偶然见到孙婷那一派天真热情奔放的“金蛇狂舞”后，被她的二货性格所惊艳，执意娶了她的。

但老一辈人毕竟保守，虽然小梁并不反对孙婷婚后偶尔和老朋友出去玩，但她婆婆却不会高兴。

所以生完孩子后，这还是她第一次借我之名溜出来。

进了“暗夜酒吧”后，孙婷立刻被她的老朋友们欢呼着包围了，我这个道具迅速被无情弃于一旁，什么钻石单身男更是没见着，只看到几个已婚发福男。

我今天原本心情也很郁悒，既然来了，索性喝喝闷酒。

我一边喝着酒，一边看着手机发呆。

胡乱地按着通讯录名单，彦一的名字突然划过眼里，我一怔。

临别的时候，我们曾经约定，彼此不再联系，所以我回到C城换了电话号码后，也没有通知过他。

但是我的通讯录里，却一直存着他的电话，仿佛是一种纪念。

算起来，我们分别已经快三个月了，我其实不敢去想，因为怕自己心软。

我不敢承认自己担心他。

给一点希望，却让期待的人跌入更深的失望，是不是一种罪恶?

我分不清。

记得他曾经有一次在挽留我无果的情况下哭着对我说，如果他死了，就是因为我丢下了他。

但是真正分别的时候他在机场却一脸平静，说他会好好生活，好好照顾自己，以后会娶一个温柔的女孩子，要我放心。

我不知道他说的哪一句是真的。

我呆呆地盯着那个号码，屏幕熄灭又按亮，过一会儿又熄灭我又按亮，酒精慢慢地充盈我的身体，然后变成眼底酸酸的感觉。

世间多无奈。

而封信的人生，又是上演的哪一出?

“你这样的男人，怎么可能缺女人……”侧面那桌女人轻笑的声音传入耳中。

多么明白的欲拒还迎，但男人喜欢，百试不悔。

我按按疼痛的太阳穴，想分散一下注意力，于是微微转过头，用眼角余光偷瞄。

女人已经和男人粘在一起，男人的头搁在她的颈窝没动。

我几疑自己眼花。

我不记得自己刚才独饮了几杯，也不知道时间已经过去了多久，也许体内的酒精含量真的高了点，不然为什么我会出现幻觉。

“送我回家吗？”女人直起身子，涂了深红蔻丹的指尖在男人面上轻轻滑动，那柔软的弧度比酒更醉人。

男人纤长的手指动了动，一样东西扔到桌上，发出轻微声响。

是车钥匙，很好的牌子，德国车。

“你开车。”他低声说。

然后他们站起来，男人也许是喝了酒，脚步略浮，女人全身躲在他的怀里。

孙婷不知道什么时候跑到了我的身边，她没喝多少，怕回去被婆婆发现，但是和那些老朋友玩猜拳打耳光打得眼冒金星嗨翻了天。

她惊讶地咦了一声，不确定地问：“那是，封医生吗？”又啊了一声，“那女的……哎哟，那女的是这里的老客啊，两年前就号称要凑足一百个男人来个百团大战的烂货……一身的骚病，封医生怎么会看上她？啧啧啧……”

他们的身影已经消失在门外，我突然跳起来狂奔出去。

撞到了几个桌子，听声音还撞翻了人家的东西，孙婷在身后吃惊地叫我，还有帮我道歉的声音。

我不管不顾了。

我追他而去。

外面很冷，长街寂寞，人如鬼魅，再多幻丽的霓虹也挡不住这冬夜的萧瑟。

封信和那个女人走向停车场。

我几步冲上前一把抓住他没有搂住女人肩的那只手的衣袖。

“等一下！”

他停住脚步，抬眼看我，更吃惊的却是那个女人。

真的是他。

可是，我不敢相信那是他。

一模一样的眉眼，却怎么那样陌生。

我记忆里的封信，无论是八年前还是重见的八年后，都是如同秋日阳光般温暖的人。微笑里有着淡淡的萧瑟，但不会冰凉。看人的眼神充满专注，但不会残酷。

记得高中那时候，有一次，有个很胖的女生，被她们班的同学起哄逼迫，在走廊上向封信表白。那女生本来就很自卑，经常被大家捉弄，却不敢得罪任何人。抱着看好戏的心态，那些恶劣的同龄人要她在封信路过的时候大喊“封信我喜欢你”。

那女生喊了，喊完以后抱着头蹲在地上无声地哭。

得逞了的人恶意大笑，笑她是只癞蛤蟆。

封信没有笑。

他伸手把那个女生拉起来，认真地对她说：“谢谢你。”

他用他的行为和表情把那个女生被同伴打碎的自尊一点点还给她。

后来周围的笑声就变得尴尬起来，再后来就没有人笑了。

我当时正好去打水，目睹了整个经过。

那时候我就确信，我喜欢的少年，是世界上最闪亮最温暖的少年。

但是，眼前的男人，却如任何一个在夜店寻欢的堕落生命般，笑容虚浮，麻木腐朽，游戏人生。

怎么会，怎么会。

怎么会是他？

如果说下午听闻他结婚离婚只是预期中的失落与疼痛，那么此刻见到的他，才让我知道什么叫真正的心如刀割。

封信，这么多年，你到底在做什么，你经历了什么？

女人迟疑着发难：“你们认识？”

我盯着封信的眼睛，努力不让自己逃跑。

“你认识我吗？”我问他，也许天气实在太冷了，我的牙齿都在颤抖。

他看着我，不置可否，像看着一个陌生的人。

甚至也没有挣脱我的手。

“小姐，就算犯花痴也有个先来后到吧？今晚他已经决定跟我走了。”女人见封信不出声，调子蓦地高起来，竟伸手来掰开我的手。

我被她拉扯，一时情急，也用上了蛮力。

“是要讲先来后到。”我听到自己脱口而出，“这个人，我八年前就已经预约过了。”

那女人怒了，从封信怀里直起了身子，发狠掐向我的手背。

封信突然伸手挡了一下，隔开了我们。

“别闹了。”

语气里，明明白白的嫌恶，却不知是对谁。

我胸口钝痛难挨。

孙婷已经追了出来，看到此情此景，她仅有那点酒劲应该全醒了。

她身后还有几个朋友，大家都不明白发生了什么事，但朋友的朋友还是朋友，他们本能地觉得先帮我再说。

那女人见封信无意护她，再加上孙婷她们张牙舞爪地冲过来，顿时明了局面，冷笑几声拔腿就走。

“车钥匙。”封信沉声说。

女人顿了顿脚步，扬手把他的车钥匙扔过来。附送一个怨毒眼神。

封信被我抓住袖子，动作迟缓，任车钥匙掉在面前的地上。

我听到孙婷尴尬地喊“封医生”，然后不停地问我“怎么了程安之你怎么了”。

封信看着被我抓住的手，又看向我的脸。

不知道为什么，我感觉他的眼神，似乎比开始更清醒了些，那种犀利的目光，在夜色里灼灼如电。

像用光了所有力气的逃兵，我低下头，虚弱地一点一点地松开了我的手指。

“现在，我可以走了吗？”他无视孙婷的招呼，平静地开口问我。

我摇头，又点头。

我喃喃地问：“你真的不记得我了吗？”

我不知道为什么要纠结这个问题，或许，我是想告诉他，不记得我也没关系。

可是你还记不记得那时的花，那时的树，那时的云朵，那时的桂树香。

那时的，你自己。

你怎么能忘记那时候的你自己。

这呓语像足醉话。

他没有回答我，弯腰拾起地上的车钥匙，然后头也不回地朝停车场走去。

我抱着膝盖坐在沙发上无声地流泪。

半夜出来喝水的七春被我吓了一大跳，哇的一声怪叫跳过来。

“你搞什么啊，什么时候回来的，我都睡着了，打你手机也不接。”她大大咧咧一屁股坐在我的边上。

我抱着她的脖子哭出声来。

终于有一个知道故事始末的人，可以在这样充满包容性的黑夜里，听我诉说。

听到我今夜的遭遇，她微微动容。

“程安之，你到底爱他什么？你难道不觉得这么多年来，你爱的只是一个你想象出来的幻梦？”她问我。

这个问题，我也问过自己千百遍。

“七春，爱是什么呢？我只知道，这么多年，只要想到他，我就觉得幸福。因为想靠近他，所以我变得勇敢、变得优秀、变得坚强、忍受寂寞，甚至在没有希望的时候仍然坚持着……你以为我痛苦吗？不，我并不痛苦，在爱着的时候，所有事情都不可怕，所有的事情都变得美好，所有的伤害都可以原谅，是他让我感觉到每一天都充满希望。今晚我哭，只是因为替他难过，难过他带给我那么多，我却不能为他分担一点点，我甚至不知道他为什么会那么寂寞。”

其实爱是很简单的事吧。

你爱着的人，他存在的地方，整个世界都在发光；他失落的时候，整个世界都会下雨。

能够避开的，就不是命运，能够放弃的，就不是爱。

爱和命运，都是上天的事情，我清醒地沉沦，却无能为力。

“七春，看到他那样，我好痛。”我呜咽着总结。

“我也好痛……”

“你也心痛？”我成功地被她吸引。

“不，我膀胱痛……我刚准备去尿尿，看你在这儿哭，结果没尿成……一直忍到现在，不敢打断你抒情……”

“噗！”

我就知道，孟七春是治愈系的啊。

*七春，爱是什么呢？*

## 15. 十六岁的记忆像大群蝴蝶一样霸道地奔涌进脑海

“安之啊！你下午有空没有？陪我去一个地方！”何老师的大嗓门从电话里清楚地传出来。

我把话筒移开耳朵远一点：

“下午……”下午没空。

“我过来接你！我有个老朋友从北京那边淘了一枚田黄印章来，硬说是皇帝用过的，我得过去亲眼瞧瞧，你也陪我一起去！”何老师完全不需要我的答案，已经自作主张急吼吼地安排。

我含糊推托。

其实还因为心虚，以前在香港，和何老师通信，碰到不懂的地方，可以随时问彦一，久而久之，使得何老师把我当成了古玩专家。

但我自己清楚，我那点东西实在比他高明不了多少，现场卖弄丢脸事小，坏事事大。

但何老师可不管不顾，一把挂断了电话。

我只得加紧做完手上工作。

果然午餐时间一过，何老师的电话就来了，我匆匆交代了几句，下楼随他而去。

路上我来开车，听得他在副驾位上坐立不安。

时而喃喃自语，时而唾沫横飞。

不外是：

“专门买赝品的老家伙，能有什么眼力劲，肯定又栽了！”

“哼，上次屁颠屁颠地抱来个明代珐琅碗来给我看，我就说是高仿，他偏不信，拿去给故宫博物院的专家看，果然是高仿，他还不服气，说我是碰中的。”

“不过皇帝印章可不是等闲物，安之你说，这封老头不会真得了个宝吧……”

我听得“封老头”三个字，怔了一怔。

我想，不会这么巧吧。

你那么思念一个人，却怎样都遍寻不获他的身影；而一旦重遇，他的名字身影却时时处处出现在身边。

难道我积攒了八年的缘分，都在这一个月用尽了。

车子开进一个小别墅区。

封家在院子上开了一个门，从院子进去，是密密的葡萄架；有古朴的石桌、石凳、精巧鱼池；靠墙处开了一片菜土，雪季快来了，但院子里依然有不少绿意，看得出主人很下功夫。

还未进院，就听到一阵响亮的狗叫声，一只毛色油亮的金毛犬猛扑过来，却在发现是何老师之后立刻改吠为哼，热情地前爪搂腰猛摇尾巴。

须发皆白的老人大步迎出来，他身材高大，虽然年近八十却仍然精神矍铄，满面红光，笑声像打雷一样。他随手拨开那只金毛大狗，自己却一掌拍到瘦小的何老师肩上，动作之大我的心都惊得跳了几跳。

何老师却不以为意，同样的大嗓门招呼回去，原本安静的小院里有了这两个你来我往互不相让的老人加上一只大狗的声音，瞬间变得像闹市一样。

进得屋中，暖意扑面而来，空气里充盈着淡淡的草药香。

那只金毛仍在我们左右跑动，这会儿已经放开了何老师，好奇地对着我嗅来嗅去。

何老师对我说：“这是他们家的老狗，叫郭靖。”

我看着那狗一脸憨厚的样子，一下子没忍住笑。

何老师又一把拉过我做介绍：“封老头，这就是我跟你说的程安之，我在香港碰到的那个姑娘，这方面可懂得比咱俩加起来还多！我儿子上次结婚时我才发现，她居然是我媳妇的姐姐！你说巧不巧，哈哈哈！”然后再对我说，“安之，叫封伯伯！这就是我跟你说的那个老朋友，看货眼光差，看病倒是一流！”

封老爷子把眼睛一瞪：“封爷爷！”

何老师争起来：“你个死老头，她是我媳妇的姐姐，叫你爷爷，那我不是要叫你叔？”

封老哈哈一笑：“谁让你四十岁才生何欢？”

眼见两个岁数加起来超过一百五的老顽童还没落座，就已经对吵开来，我暗暗好笑，趁机偷偷打量周围的环境。

客厅里有一面照片墙，多数是封老给多位大人物看病的纪念照片，那些曾是他病人的人中，有些是曾在新闻联播里出现的熟悉的脸，还有几个外国人，看起来身份都不凡。

见我在仔细打量那些照片，封老顿时嘴也不斗了，凑过来跟我讲故事。

不外是些妙手回春起死回生相见恨晚感激涕零的传说。

这都是老爷子一生的荣光，说起来就仿佛生命再重燃一次般整个人都变得耀眼，我倒是听得津津有味大开眼界。估计已经听过无数次的何老师却很快不耐烦，连连催起印章的事，老爷子只好住嘴，意犹未尽地瞪了老朋友几眼，特意跟我说有时间单独聊，要好好给我上一课，我连连点头。

终于进入今天的主题。

封老已经小心翼翼地捧出他的锦盒，打开处，果然是一枚黄色印章。

何老师迫不及待地捧起来细看。

我也凑过去。

这印章的印钮是瑞兽形，体形硕大刀工精美，封老爷子说是乾隆之印，也并非不可能。

我依稀记得，乾隆皇帝酷爱以田黄石刻章，传说曾有三百多枚田黄章流传下来，但多数流于海外，最有名的应是现在藏于故宫博物院的三链章。

如果说封老这种业余收藏爱好者，机缘巧合竟收入一枚乾隆的田黄章，那确实是一件圆满的事情，其价值和意义都难估。

也难怪何老师如此激动，不敢置信。

何老师还在那仔细抚摩端详，封老爷子已经不耐烦地一把抢过章子来，小心地放在我的手上。

“小程丫头来说说看。”他似乎胸有成竹，目光炯炯地看定了我，分明只是考我。

我只能硬着头皮，搜肠刮肚。

“这枚印章从材质上看，实属上佳，血丝盘格明显，萝卜纹细密舒顺……”

我索性把脑袋里关于上好田黄石的特征背了一遍，其实我也分不清这枚章的材质是否具备那些属性，但是看到封老爷子连连点头，显然龙心大悦，自觉算是蒙混过关。

私心里，很可耻地有一种在讨好家长的感觉。

最后再坦诚说明一下自己水平有限，并无法认证古物真伪，但是封老爷子心中已经笃定，也并不在乎何老师的泛酸和我的无知，只是一心高兴。

兴致大好的封老爷子又邀请我品鉴了他的其他若干宝贝，还给我们沏了功夫茶，在两个老头时不时的斗嘴声和茶香里，一下午的时间飞快流逝了。

喝茶的结果就是我想去卫生间。

封老爷子挠挠白头发：

“楼下卫生间的马桶昨天坏了，叫人来修今天还没来，你去二楼用我孙子房间里的卫生间吧，二楼右拐第一间就是。”

我只好自己爬上楼去。

二楼右拐第一间，推门进去，里面是一间套房，穿过书房和卧室，尽头是卫生间。

郭靖跟在我的后面蹭来蹭去，似是领路，又似是玩耍。

干净简单的房间。

我连呼吸也放轻，只怕惊扰这个梦。

没有乱扔的杂志，没有凌乱的杂物，墙上没有照片，全屋连一件挂在外面的衣服都没有。整个房间和楼下一样使用深色的家具，而深蓝色的床上用品，几乎是这极素空间里唯一彩色。

这就是封信的私人世界。

一瞬间我的脑海里隐隐掠过什么，感觉到似乎有什么不对劲，但那感觉却像一闪即逝的流星，抓不到重点。

我贪婪而留恋地看着这空间里的一切，却不敢伸手触碰。

封家的别墅位于近郊，算是最靠近市中心的别墅区，应该价值不菲。但这小小世界里，却似乎只有封老爷子和封信两个人居住。

阳光照在窗子上，有小鸟在窗外鸣叫，只伴着郭靖呼呼喘气的声音，静得让人心虚。

我鬼使神差地伸手去触摸桌上那本摊开的医学书。

目光落在书页上的时候，我突然明白了哪里不对劲。

那书页分明已经不新，却干净得没有一个笔印。

就像这个房间一般，没有丝毫有一个年轻生命居住着的痕迹。

但我却知道，高中时的封信，会在书上做各种笔记，会偷偷地调皮地画小鸡吃米，会有掩饰得很好，但仍然不经意流露的各种少年情绪。

那些，在这个房间里，全部看不见了。

他似乎刻意地想让自己，仿佛没有活过。

我的心从未有过地恐慌惊惧着，我不知道是什么，让他有了这样的改变，我曾经在失去他所有消息后都不曾绝望，但这一刻，却有一种无能为力感暗暗地侵袭了我。

我能为他做些什么?

我茫然四顾，却突然看到书的下面压着一张纸，露出一角。

我轻轻抽出来。

忽然愣住。

那张纸上，用我熟悉的笔迹，写着一个熟悉的名字——

程安之。

后面接了一个大大的问号。

我不知道自己是怎么飘着出了那个房间的，出房间的时候，眼角瞄到书架上一样东西。

和这房间很不相称的一样东西。

十六岁的记忆像大群蝴蝶一样霸道地奔涌进脑海。

圣诞晚会上，我连送给他礼物的勇气都没有，只得趁乱将手里的一只丑怪小恐龙放进替他捡礼物的女生手里。

那恐龙被捏肚子，会发出可怕的大叫：I love you！ I love you！ I love you！

我爱你。

现在，它就静静地站在书架的角落里，看着我的失魂落魄。

我伸手捏它一下，再捏它一下，它已经不会发出声音。

回去的时候，我异常沉默。

何老师几次想开口，又欲言又止。

送他到家的时候，他终于还是迟迟疑疑地问了出来：

“安之啊，我记得你在香港有男朋友的是不是？那个很年轻的小伙子……”

我知道他说的是彦一，我摇头：

“那个不是我男朋友，只是一个朋友。”

何老师眼睛一亮：

“那你现在有男朋友没有？”

我又摇头，最近问这个问题的长辈好多。

何老师啊了一声，下定决心似的说：“你要是不嫌我多事，我想给你介绍一个人……就是封老头的孙子，上次小素婚礼上不知道你见过没有……那孩子我从小看着长大的，比我家何欢有出息，就是……”

前面有车突然插道，我一时慌乱，差点追尾。

何老师见我没吱声，大概以为我在催他下文，想了想一咬牙道：“这孩子什么都好，就是离过一次婚……你看，要不约个时间让你们见见？”

我手脚发凉，心乱如麻。

最近发生的戏剧性转折太多，我原本就不玲珑，只觉应接吃力。

但是，至少我听懂了，何老师说的，是封信。

看我还是不出声，何老师也有点不好意思，自我解嘲道：“我也知道你肯定心气不低，条件又好，怪我多嘴，都是封老头，非要我问问……”

“不是的！”我急着打断他，一时间差点喉紧语塞。

“只要他同意，我没问题！”我只能这么说，矜持尽失的态度反而换来何老师的惊诧莫名。

封信，封信。

如果那个人是你，我怎么会不愿意。

我不管前方是风是雨还是晴，我只知道，如若是你，随时随地，我会如约而至，哪怕赌上一生的运气。

*“只要他同意，我没问题！”*

# 第六章

## Flower · 赴约

封信，有时候我想，这个世界上，会不会有另外几个我，也这样爱着另外几个你。
如果有的话，我多希望他们都是圆满结局。

## [楔子·一场豪赌]

“我可以跟你签这个协议，但有一个条件。”

“我早想到了，我爸可以出手救你爸。”

“不，我要你爸，绝对不要救他。并且要把他其他经济罪名落实。”

“为什么？那是你爸啊？一旦落实，他至少要关十年，他的公司也会因为巨额罚款而资不抵债面临倒闭。”

“我知道。”

“那……成交。”

那是封信二十二岁那年的一场豪赌。

赌上的，是他自己的人生。

那一年，爸爸的公司，因为引进风投失败，反而加速暴露了在税务等方面的巨大问题，拔出萝卜带出泥，爸爸一夜间面临公司破产自己入狱的人生反转。

就在那时，叫姚姚的漂亮女人找到封信，要与他谈一场交易。

她是市里某政要的独生女，自小骄傲任性，国外名校毕业，归国不到一年，就未婚先孕。

那大概是一场惊心动魄足以让她粉身碎骨的爱情，但遗憾的是，男人是个浪子，并不想人生尘埃落定。

姚姚放手得洒脱，拿出她官家女儿的手段，她一手为自己安排好后路。

向父亲摊牌，誓死保胎，迅速寻找一个合适她身份的形婚配偶，为这个孩子的出生买单。

这是一个短暂的契约，孩子出生后至两岁，双方将以感情不和为由，解除婚姻关系。

所有人都获得相对有限的体面。

如果要保住那个孩子，还要给他未来的坦途，这大概是最好的方法。

她相中为她搭过一次脉的医生封信。

良好的家世，初露的才华，美好的外形，最重要的是，有一个即将入狱的父亲。

经济一罪，可左可右，关系为大，如果她父亲愿意出手，他没有理由不做交换。

自小跟着父亲浸淫官场，她自信抛却感情，一切皆可算计。

但她到底算错了他。

他与她签下这荒唐协议，却只是为了阻她出手，坚决要将他的亲生父亲下狱。

连那原本该由他继承的市值上亿的封家公司，也不惜一瞬间灰飞烟灭。

她看不懂他，那一瞬曾经心生退却。

“他要领的，远不止这一点罪。”这是他给的唯一一句答案。

说这话的时候，他垂下目光，语声缓慢。

每一个字，都并不怨毒，只是那么沉的悲伤，却让人心惊肉跳。

一个月后，姚姚轻抚自己还未有隆起的小腹，与封信举行盛大婚礼。

婚礼上，男方没有父母出场，他那德高望重的爷爷是C市人人敬上三分的中医界老泰斗，理所当然坐了男方上亲。

老人家不知实情，是封信特意要求隐瞒。

虽然对孙子突然间的婚礼难以接受心生疑虑，但终究还是妥协。

而知情并参与了这场交易的姚姚父亲，在将女儿的手交到那个面色沉静的年轻男人手中时，曾经试图用眼神给他一个含义深刻的警告。

你已没有机会回头。

隔着朦胧的面纱，姚姚抬眼看了看封信，当自己的手放入他的手中时，一阵异常的寒意从相触的肌肤上传来，那一刻她忽然感觉到他的犹豫。

他分明容色未变，但她知道他在犹豫。

一种从未有过的慌乱与狠决在一瞬间扼住了她，没有任何先兆，她反手一把扣紧他的手。

层层叠叠的白纱掩盖了这小小的角力，她极热的手掌和他极冰的指尖纠缠在一起，精致修饰过的甲片狠狠划破他的掌心。

他的眼里清楚地闪过一丝痛楚的神色，但转眼安静。

他们的目光如冰雪压城，在交换誓言的一刻冷冷相遇。

礼成后，她伏在他的肩上，假戏真做地开始哭泣。

*他们的目光如冰雪压城，在交换誓言的一刻冷冷相遇。*

## 16. 程安之！到底是小清新还是重口味你给个干脆的！

“今天好运气，老娘请吃鸡！一只别嫌少，两只笑嘻嘻！”七春一边猛啃鸡腿，一边朝我大抛媚眼。

我拼命地玩手机来忽略肚子的强烈抗议。

“你真的不吃？”她把油糊糊的嘴凑到我面前。

“不吃！”我悲愤地呐喊。

“我跟你说啊，我查过资料，饿肚子最先瘦的，是胸！你就算饿上几天，也只能把你的B罩成功饿成A罩，你本来就没什么料，这下你的男神会更加失望的。”

“不是吧……”我动摇地低头看自己的领地。

“所以嘛，来，陪姐姐啃个鸡腿，反正是你买单……对了，咱还是继续用内在美征服他！”

“你的意思是我没有外在美？！”

“你当然有！谁说你没有我和谁急！来，吃腿吃腿！”

……

•

和七春吃完鸡腿后直奔今天的目的地，某商场。

我从试衣间里出来。

“哇！好萝莉，适合你的小清新脸！”

“男人会不会喜欢成熟点的？”

“那试试这件。”

过一会儿。

“程安之，我真诚的收回刚才的目测数据，原来你有C罩杯！佩服佩服！”

“过奖过奖，这种事我也不好意思纠正你……”和七春在一起石头也会变滑头。

“嗯，这件衣服完美地诠释了什么叫欲望都市！我很喜欢！”

“可是我觉得第一次约会，也许穿保守点更合适……”

……

在鞋柜台。

“这双吧，细高跟，有女人味，显腿长，反正封信也高。”七春递过一双精致的高跟鞋。

“会不会他喜欢娇小点的……”

“那平跟？”

“呃，但是女人味和长腿什么的是所有男人的最爱吧……”

……

五个小时后，商场里七春的咆哮振聋发聩。

“程安之！到底是小清新还是重口味你给个干脆的！要死要活就这一把定输赢！这一下午老娘的鸡腿都已经被你消化干净了！”

……

最后终于还是按平时的着装风格，买了条米色羊毛小裙子，一双中跟小靴子，再外搭一件大衣。

当我一起刷卡的时候，七春对着小票上的总和超过五位数的单据直接崩溃了。

“程安之，人家说，女人靠外表得到男人一时，靠内在守住男人一世。我看你这几年真的是脱胎换骨，内外兼修了……要是你的男神不要你，你就娶了我吧！求娶！”

我暴汗。

“请问七春大小姐，我是何时征服了你的芳心？”

“刚才你刷卡的时候，那气定神闲的霸气……”

“哦……我工作两年还是存了点钱。”

“存了多少？招也是死，不招也是死……”

“还好啦，我也没什么地方花钱，大概就存了个小户型的首付……为什么招也死不招也死？”

“因为同样工作了两年的我，对比自己空荡荡的行囊，忍不住流下了黯然的泪水……今晚我要喝死，别拦我。”

“喝死之前，陪我再去修一下头发……”

那天晚上我没有睡好，想要早点睡，免得明天有黑眼圈，却越是如此，越是无法入眠。

七春真的跑出去了，说是找朋友喝酒，大半夜的才听到回来的门响。

而我的脑袋里乱糟糟的。

时而想起最初在校园里的种种；

时而想起在香港时的各种意外与跌宕；

更多的是想明天的第一次约会，他知道是我吗？他听到名字的时候有没有觉得熟悉？如果他不记得我，我该怎么说；如果他记得我，又记得多少，记得的是哪一次的我……

胡思乱想中，眼皮逐渐变得又涩又痛，我愈发辗转不安。

一直熬到下半夜，终于才睡去。

夜里有梦，梦里不知身是客。

*明天的第一次约会，他知道是我吗?*

# 17. 恰好我记性很好，所以应该记得全部

西餐厅里的音乐舒缓，像情人间优雅而试探的呢喃，封信先到，他选择了靠窗的一个卡座。

像多年前去送明信片的那一次般，我对着镜子练习了千百次，最后却仍是一片空白。

上午第一次接到他的电话，电话里他的声音温柔而清冷：

“我是封信，把地址和时间发到你手机上好吗？”

我讷讷地答好。

明明是带着孤注一掷的勇气，却怎么能在这里止步。

服务员看我站在路中间不动，走过来轻声询问，我指指封信，示意已经约人，而他恰好在此时转过脸来，我们的目光不经意间就撞上。

虽然我的附近还有很多人，但是不知道为什么，我总觉得他是在看我。

一秒。

两秒。

三秒。

……

他就那么看着我，不出声，也不招呼。

渐渐地，他坐在那里沉静等待的样子，和八年前的少年微笑的脸重合起来，他低下头对我轻声说：“加油。”

服务员再次催促的声音终于把我拉回现实。

我横下心，眼皮一垂，迈步朝他的方向走过去。

终于站在了他的面前。

“你好。”我鼓起勇气微笑。

“坐。”他优雅地站起身来，手指对面的座位，我看到他的嘴角轻轻弯了弯，那双墨如夜色的眼眸里，看不出意外表情。

他没有问我是谁，也没有问我是不是他在等的人。

这才是我记忆里的封信，不发一言，就已经成竹在胸。

我再次疑心那夜在酒吧相遇是不是一个梦。

我们都坐下。

我微低着头，想着应该怎么开口。

封信今天穿了件深灰色的西装外套，露出了里面的黑色衬衣，但下身却是搭的牛仔裤，略紧的设计显得他越发风神俊朗，双腿修长。我注意到这几次见面，他仍然只穿黑白灰色系的衣服，但并不显得冷硬，只让人感觉这个男人的精美而从容。

我呼吸困难。

“不知道你喜欢什么，但这里午餐时间上菜很慢，所以还是先点了。”他倒是很自然，不急不徐地说，声音那么近，似乎气息都能感知。

“嗯。”我僵硬点头。

“先喝点热茶？”他很有耐心地把桌上用蜡烛加热的玻璃壶轻轻提起来，取过两个晶莹的小杯子，金黄色的茶汁从壶嘴汩汩地流出，空气里腾起细微的白色热气。

他把一只杯子轻轻放在我的面前。

我盯着他的手，他的手指修长，动作却沉稳有力。

我觉得自己这二十四年都白活了，明明在外面已经锻炼得不说明眸善睐也算大方得体，但怎么一面对这个人，就只有白痴般的反应。

在这样自责而羞愧的心情里，我默默地端起面前的小杯茶喝了下去。

“喂！”一只手及时伸到我嘴边迅速夺下了杯子，但沾到嘴唇的热茶仍然烫得我一个哆嗦。

我茫然地抬起头来，就看到封信近在咫尺的脸。

我一时间连疼痛都忘记了，只觉得整个人都麻了。

他把杯子放远一点，但是并没有立刻收回前倾的身体。

他就那么隔着一尺的距离对着我的脸。

“程安之，你看着我。”他鲜有情绪波动的声音里有着我所陌生的不悦感。

“我到底有什么可怕，让你看到我的时候，表情永远那么视死如归？”

我就真的看着他了。

其实是因为震撼得失去动弹的力气了。

他记得我?

他记得我!

他记得我!

……

他记得的，是哪一次的我?

大概过了十秒，他缓缓收回身体，回复正常坐姿，目光也终于离开了我的脸，气氛随着他的表情变化而瞬间柔和下来。

我松了口气，刚感觉自己恢复了说话能力，服务员已经开始掀帘上菜了。

居然是红烧肉、水煮鱼、猪肚墨鱼汤。

我以为我们应该在西餐厅里吃牛排。

但是，却是我真正喜欢的几道家常菜。

“先吃吧。”封信恢复淡定地先拿起勺子盛汤。

我机械地拿起筷子，满心的疑问却一个接一个地往外冒。

“你……记得我？”我试探着问。

“嗯。”他平静地答。

“呃……那你记得我是谁……”这句真不知道怎么问才好。

他停住勺子，又深深看了我一眼。

还是平静的声音：

“学校、婚礼、酒吧……恰好我记性很好，所以应该记得全部。”

我瞬间石化。

带着更多的疑问埋头喝汤。

偷眼看封信，只觉得他吃中餐的样子也优雅得不像话，每一个动作，都有着似乎是与生俱来的风华。

这样美好的男人，怎么会有女人得到过又放弃呢?

脑袋里不自觉冒出这样的疑惑，我赶快自责地甩一下头，把它丢回角落。

封信察觉到我的小动作，朝我看过来。

我赶快低头吃菜。

头一次觉得香喷喷的肉含在嘴里，怎么嚼都觉得不对。

“你前天去我家的时候，动过我桌上的东西？”他慢慢地说。

“啊？”我正含着一口肉，惊吓间直接把那块肉完整吞了下去。

“我记性很好，我爷爷又从来不会碰我的东西。问一下爷爷有谁来过，就明白了。”他又强调了一次记性问题，不知道为什么我觉得他是故意的。

“你写了我名字。”肉终于落进肚里，我心一横，不知死活地小声反击。

他没有立刻回答，低头夹了筷青菜，似乎笑了笑。

“我只是奇怪，怎么最近在哪儿都能遇上你。”

他深深地看我一眼，那眼神里，涌动着某种我看不懂的东西。

他语速很慢地说：“程安之，你让我知道，原来时间可以让一个单纯的女孩变得这么有城府有心机。”

我不可置信地看着他。

前一秒还是天堂，后一秒竟是地狱。

他怀疑我。

他看轻我。

他觉得每一次的相遇，都是我刻意。

但是，我为什么要委屈，如果我知道他会出现在哪里，我一定会真的刻意，次次刻意。

我就是变得城府，我就是充满心机，我用了八年的时间努力变得坚强，就是为了再相遇的时候有勇气不顾一切冲向前。

可是，为什么我还是觉得好委屈。

我才知道，爱一个人，竟会这样，卑微到受不起他一丝质疑。

原来在你年少的时候爱上了一个人，无论你后来变得多么光鲜多么强大，然而一旦重新面对他，你就又回到了那样卑微敏感又欢喜稚嫩的少女心情。

好像时光从未流过指尖。

我端正地坐着，低着头，手指僵硬地抓着餐具。

音乐和人声都已经离我很远，我仿佛觉得窗外正是蝉声轰鸣，乌云漫天，同桌在翻动书页，下一秒仿佛就会听到老师提问的语声。

只要他在我面前，我就能轻易回到八年前。

眼泪不受控制地涌出来，我腾出手来手忙脚乱地胡乱抹着，却越抹越多，我对自己的狼狈心生绝望。

我应该更美丽，我应该更优雅，我应该向他展现最好的我，而不是仍然像那个手足无措低到尘埃里他都不屑看一眼的女孩。

我竟连争辩一句也做不到。

哭泣这件事，一旦开始，就会陷入失控。

我已经不知道该怎么收场，我甚至想如果现在昏过去大概更好。

封信在我开始哭后放下了筷子一直沉默，其间有递过纸巾。

我拼了命地想忍住自己的伤心。

忍得胸口闷痛。

但是听到他一句轻声的“对不起”后，眼泪却再次决堤。

不知哭了多久，他忽然站了起来，没有打招呼就走了出去。

我一时没有反应过来，只肿着眼睛，呆呆地看着他离去。

他的背影让我想起八年前。

那时我站在楼梯间，回头看他，他已经转过身，走回学生会办公室。

我们之间，隔着好多好多眼泪。

那时候我不知道我们此生能不能再次遇见。

他也不知道那时我哭得多么肝肠寸断。

而这一次，我竟又要这样眼睁睁地看他离去。

心一下子揪得很紧。

我急急站起来，却重心不稳，身体摇晃了一下，带倒了桌上的茶，瞬间洒满了我新买的裙子。

我能够想象，我现在的形象，该有多凄凉。

就像精心准备许久的精美演出，主角在上台亮相的一瞬摔了个嘴啃泥大马趴。

在掀帘间，和进来的人撞个满怀。

我一把抓住封信的袖子，用尽全力，就像和那一点温暖触感的布料有仇。

这一次，我不放他走。

我城府也好，心机也好，撒泼也好，耍赖也好。

我不能放他走。

决绝间视线却扫到他手里抓着的东西，是餐厅里备的白色热毛巾。

“我想你这样肯定不想别人看到，所以没叫服务员，自己去取了毛巾过来。”他轻声解释。

原来不是生气离开。

我的心一下子落回原处。

“我以为……你走了。”我鼻子堵着，声如蚊蚋，另一种异样的情绪从心底漫延上来，偷偷烧热了我的脸。

他沉默了几秒，我不敢抬头看他是什么表情。

“我的包还在这里。”他说。

不知道是不是我的错觉，他的声音似乎比之前更温和了一点，清冷的声线里，多了一点隐约的柔软。

他把毛巾递给我。

我犹豫要不要接，我还抓着他的袖子。

像那天晚上在酒吧外面遇见一样，我如此贪恋，竟不想松开。

我们僵持在门口。

很短的时间后，我感觉他叹了一口气。

没有丝毫预兆，他轻轻转了一下自己的手腕，反手把我抓住他袖子的那只手罩在了手心里，修长的手指穿过了我的手指，自然地相扣在一起。

“以后改一改这个动作，别再抓我的袖子。安之，你不是小孩子了。”

我带着满脸的鼻涕眼泪震惊抬头，在再次魂飞魄散间，体会到什么叫醉生梦死。

*这一次，我不放他走。*

*我城府也好，心机也好，撒泼也好，耍赖也好。*

*我不能放他走。*

# 18. 哭得好哭得好！果然有心机！

手机嗡嗡嗡的振动声把我从梦游状态生硬地拉扯出来，那一刻我看着自己被封信握住的手，有一种强烈的懊悔没有在进门前把手机扔掉。

他果然感觉到我的来电，随即轻轻放松了自己的手指，不着痕迹地退出。

我还想挣扎一下，恰在此时他的手机也响了起来，我只好在心里长叹一口气。

一边接起我的电话，一边依依不舍地看到他拿着手机走了出去。

电话里传来青果树早教中心的菲菲老师带着哭腔的声音：

“安老师！我是菲菲，琴姐要我打电话问你，现在能不能来一下，有急事……”

我听到电话那头有孩子撕心裂肺的哭喊声，掺杂着各种大人的混乱语音，其中似乎还有琴姐。

我大吃一惊。

琴姐是个老江湖了，一向八面玲珑见风就使舵，和孩子和家长都相处融洽，很少有她应付不来的场面。

这会儿连电话她都没时间亲自打，可见情况有些上火。

可是，就我这点阅历，实在是想不出会有什么事得叫我去。

对那里，我不过也只是一个去上了几堂课的新老师而已啊。

在菲菲一叠声的“安老师你快来快来”的催促声里，我也问不出个究竟，只得挂了电话。却见封信也正好进来，不知何时，他的面色已经恢复到一开始的平静。

平静得看不出喜乐，也探不出波澜。

刚才的片刻温情，就好像一线偶然漏下的天光，在转瞬间消失了踪影。

我有些惶惑，却没有勇气加深探询，心里还惦记着早教中心的事，想怎么对他开口。

他好像看穿我的心事般，问我：“有事？”

我急忙点头，又觉得自己表现得很想离开他一样，又摇摇头，想想还是说：“有些工作的事，要赶快过去。”

封信一路开车送我过去，这是我第一次坐他的车。

和那天晚上目测的一样，车是很好的德系车，颜色是低调的银灰，恰到好处的经典款，不算豪华，但精致有余。

车里非常干净，没有一件多余的物品，像它主人的房间一样。

虽然是下午时分，但城市的车流依然汹涌，交通处于半堵状态，车在其中只能艰难前行。

前后都有车在焦躁地换道插队，弄得险相环生。

我看着封信放在方向盘上的手，那手有着钢琴家的优雅纤长，却又在指节间透露着从医者的坚毅。即使是在如此混乱的状态下，他的手部操作依然一丝不乱，从容镇定。

这双手刚刚曾经穿过我的手指把我握在掌心。

我陡然觉得空气微妙了起来，大概是心理作用，刚才匆匆上车时尚没想起，现在却脸如火烧，感觉到他的呼吸似乎也近得令人心跳。

时间一分一秒，滴滴答答。

我们同坐一车，像个小小童话。

还是他略显清冷的声线打破了暧昧：

“你现在是做什么工作？”

我一下子坐直了身体，像小学生一样陡生紧张。

从见面到现在，我们之间大抵只有现在最像相亲时的对话，虽然都是他在问，我在答。

一问一答间，我全身紧张得出汗，却也不知不觉地变得自然许多。

“所以我爷爷只见过你一面，就对你印象大好觉得你可以做他的孙媳妇？”他不紧不慢，我差点被自己的口水呛到。

“大概……大概是何老师推荐……”我不确定地讪讪低头。

“不对，我爷爷不是那种相信推销的人。”他轻摇头。

我又惶惑：“那……可能是我对他眼缘……”想起他之前的“城府论”，又紧张起来。

他果然再摇头。

我凌乱了。

一凌乱孟七春就在我的血液里张牙舞爪地复活，我脱口而出：“你单身久了，你爷爷饥不择食……”

车内猛地一暗。

我一哆嗦，回过神来，在车轮摩擦着减速带的隆隆声里，意识到车子开始进地下车库了。

但这不是重点，重点是，刚才我胡言乱语原形毕露。

封信熟练地在电梯间附近找到了停车位，一气呵成地倒车进库。

我大气都不敢出，车库昏暗也看不清他的脸色。

车终于停好，却没有熄火，看来他准备送完我立刻就走。

我刚想道谢然后逃跑，就看到他把左手肘轻靠在方向盘上，朝我转过脸来。

他的笑容，在并不明亮的空间里，有如一片清透的阳光，以惊心动魄的姿态，扑面而来。

如同我十六岁时初见他的那一天，我意识到我无法逃避，也永不想从这个梦里醒来。

我呆呆地看着他，傻得好像中了定身魔法。

我听到他轻缓而柔和地说：“安之，以后和我这样正常的交谈就好。”

那天晚上七春爬过来跟我抢被子。

对于我这次神奇的约会，她早就好奇心直挠，无奈我在早教中心帮忙处理工作，一直忙到晚上十点才回家。

她在家等得早已寂寞挠墙一百次。

我洗完后澡后爬上床，立刻被她问得头昏脑涨，不得不努力回忆约会细节，遇到她感兴趣的地方，她还要身临其境般模拟表演一番，让我直呼救命。

说到封信说我有心机，我立刻哭了起来的时候，她在床上兴奋得直打挺。

“哭得好哭得好！果然有心机！太有心机了！梨花带雨！我见犹怜！接下来他是不是一把将你摁在怀里好好疼爱？！”

我崩溃。

“七春姐！求你了！我那是真情流露！”

“你想想电视剧里，男主冷冷地说女主，没想到你是这种人！女主立刻哭软在地！男主在她柔弱可怜的哭泣下面露后悔，心疼地将她抱在怀里，说，亲爱的，我错怪你了……有没有有没有？！你看过没有？”她继续兴奋。

“有……”我认真脑补了一下，发现自己表现得果然是在电视上看到会鄙视的那种心机白兔女主类型。

“后来呢？”七春继续追问。

我打起精神回忆后面的细节，努力为自己的表现寻找亮点。

说到我抓着封信的袖子不放，最后封信反过来握了我的手，七春再次被点爆。

“此时你应该顺势而上，一把抱紧他，用你的C罩杯，融化他的冰冷面具，燃烧他的孤独灵魂！”

“孟！七！春！”我终于被她彻底搞疯，尖叫着一头扎进被子里，任她千呼万唤再也不出来。

在七春明亮的嬉笑声里，我感觉自己的脸滚烫，但心里，却有一种陌生的甜得化不开的情绪，慢慢地游走全身。

终于，走到他面前了啊。

我已经记不清走了多远的路，看了多少次云，而这一次，他是我伸手可以触到的人。

# 第七章

## *Flower*・渴望

谢谢你邀请我走进童话里，就算明天会醒拥有过又有什么关系。你带给我一直都是满园香气，这一路哪里有过对不起。

# [楔子·我不愿让你一个人]

夜已经深了，他开门的时候动作很轻，猜想爷爷已经睡下。

借着客厅柔和的小小夜灯，他忽然发现沙发里坐着一个人影，微微吃惊后，就看出那是满头白发的爷爷。

他心知爷爷心里有事，快步走了过去，没有开大灯，但近了仍能看到老人手里握着的照片，是他和爷爷奶奶还有儿时的封寻四个人的合影。

封寻已经走了，奶奶在两年前也撒手西去，他经常忙到半夜才回来，这么大的房子只有钟点工阿姨定期来清扫，对已近八十高龄的老人来说，实在是有些残酷的冷清和寂寞。

他内疚地在爷爷面前蹲下身来，颀长俊逸的身形和暗影融为一体。

爷爷抬了一下头，表情却是平静的，老人拍了拍孙子的肩，示意他坐在身边。

“今天那个小程丫头怎么样？”虽然是深夜的祖孙谈心，老人的语声却仍不失威严，腰杆任何时候都挺得笔直。

封信怔了一下，意识到爷爷是在问程安之。

“挺好的。”他下意识地回答，像以往回答每一次爷爷给他安排的相亲一样。

“嗯？”老人微微不满，“我觉得那个丫头还不错，人单纯干净。”

“是。”他的脑海里闪过程安之的脸。

她有一双非常干净的眼睛，如果抬起头，大概可以在她的眼睛里看到蓝天白云。

她自己大概都不知道，因为这双眼睛，她平凡的面容变得令人过目难忘。

其实八年前，他身边很多的人，包括他自己，或许都拥有那样的一双眼睛。

那时，他们的未来才刚刚起程，一切都是辽远的憧憬。

青春因此而张扬动人。

但是八年后，第一次深夜接诊，蓦然见到那张似曾相识的脸时，他心里像被一块巨石砸中般，猝不及防几乎现出狼狈表情。

他不明白自己的震动来于何处。

后来在朋友的婚礼上又看到她，她在弹琴，很动人的曲子，明明是喧闹喜庆的婚礼，却被她弹出一片天长地久的静谧。

弹到动情处她闭上眼睛，他突然惊觉为什么。

一别多年，在他已经忘记了自己过去的模样的时候，在他身边的人都已经学会隐藏学会刻意学会收敛学会进退的时候，她竟然，在拥挤灰暗的人群里，还独自拥有着那双如同少女般干净澄澈的眼睛。

每一次她看向他，动辄语不成句，但她却不知道，所有的表达，都那么清楚地写在她的眼睛里。

她对他的爱慕，她对他的依恋，她对他的惶恐，她对他的小心。

就像在被雾霾长期笼罩的城市里，有一天突然见到如同高原上未曾污染的湛蓝的天——蓝天并不自知，而见者自然惊心。

珍贵之处在于她并不明了这份珍贵，第一次约会他试探她，她的眼泪瞬间夺眶而出的时候，他已经后悔。

没有一个男人会不为这样跨越时空仍然不染纤尘的爱恋打动。

他记得八年前她站在学生会办公室里递给他告白卡片时手指的颤抖与强忍的眼泪，也有留意到今天送她下车时她欲言又止的探询。

他其实不敢承认和面对，在他的人生里，竟然是第一次感受到那样患得患失最后干脆沉默的心情。

心动姗姗来迟，他怕它不合时宜。

老人仿佛看穿他的心事，打破短暂的沉默：

“你是不是担心姚姚那边？”

他看着爷爷的满头银丝，心里一酸。

他是真的做错了吧？

他自认一向少年老成，人生只有一次任性，却酿成几乎不可挽回的大错。

一向温柔疼爱他的奶奶，在闭眼的一刻，是不是也像爷爷一样，对他充满担忧和遗憾？

还有，一向敬他爱他如神的小封寻。

“安之，我很喜欢她。”他用这个答案回答爷爷。

封老医生怔了怔，这是他的孙子第一次对他说喜欢一个姑娘。

当初结婚，他也只是用坚决而毫无欢愉的语气说：“我要和一个人结婚。”

唉，当初……

老人看着孙子英俊的侧脸，心慢慢地软了下来。

岁月在他的心里弹尽悲怆，最后只余下这一星希望。

封信在那句出口后，也自然地陷入沉默。

他想，他终究无法回避，要站起来，往前走了。

他忆起安之那夜在酒吧外，固执地拉着他的袖子不放的手。

其实他一直渴望着有一个人，能够岁月经年仍拉住他不放。不许他堕落，不许他沉沦，不许他随波逐流，不许他就此沉睡。

不管遇见怎样变迁，都不动摇不怀疑不改变。

这么多年，原来他一直渴望的就是这个。

他想起程安之多年前在他离校那天给他的明信片，那上面的话：封信，我不知道别人的星星是什么样子，但是我的星星上只有一朵花，是你。

不知道为什么，每次翻书架时看到那张明信片和这句话，他的嘴角都会微微弯起来。

大概，缘分早就开始。
他不知道她是不是最正确的那一个人，但他已经决定，开始冒险。

## 19. 怎么你找的男人，一个接一个都不要你了？

早晨醒来的时候，窗外投进来的金色阳光已经把被子都烤暖，七春四仰八叉像只海里生物般横在我的身边，手脚还跟我暧昧不清地纠缠。

我摸到床头柜上放着的手机，突然惊叫起来：

“孟七春！”

“外星人入侵了！”七春一脚蹬开被子，瞬间用比我更高数倍的尖声把我的气焰全灭。

我哭丧着脸手忙脚乱穿衣服。

“迟到了迟到了！你这种自由职业者不能体会我们朝九晚五族的痛……”

七春这些年已经成了一个独立平面设计师，靠着不错的人脉和良好的功底接单不愁。

七春半信半疑地拿起她的手机：“我明明设置了闹钟啊。”

我懒得理她，昨天晚上她决定和我睡一张床以后，她分明强调了她用手机设置好了我的上班闹铃，我才安心去和周公约会的。

结果……

正在急急洗脸的时候，听到卧室里传来七春一声大叫。

接着是毫无节操的狂笑。

“对不起程安之……哈哈哈……我昨天晚上太困了，把闹钟设置到了计算器上……”

到了公司后打开电脑，想了想鼓起勇气给封信的号码发去一个“早安”。

半小时后他才回复：“早安。”后面居然还带了一个笑脸的符号。

我想电话那头的人，大概是在忙碌中，抽空看了一眼早上十点向他问早安的短信，嘴角有了一个微微的上扬的弧度。

心轻飘飘地为这两个简单的字而暖了起来。

相亲过后还愿意回复的人，应该代表还有希望吧？第一次是碍于爷爷的要求主动约见，而后面的发展，就要靠我自己努力了啊。

我给自己暗暗加了加油，就迅速被如山的工作淹没了。

晚上和琴姐约好去小圈圈的家里看她。

昨天早教中心的混乱其实是小圈圈引起的，这个孩子自从那天和我接触后，又上过我两堂课，我们都相处得很愉快，其他任课老师也夸她最近有进步，谁知她昨天去上课，发现我不在，突然就生气了。

四五岁的孩子正是心理需求已经逐渐成熟却还无法精确沟通的年纪，小圈圈本来在哭闹着“要安安老师上课”，但后来却因为她妈妈的介入，把事态变得复杂严重起来。

小圈圈的妈妈我曾经见过两次，每次上课的时候，会坐在外面的休闲区等待。

但即使是在等待女儿上课的时间里，她也并不像其他的家长一样，会仔细观察课室内的监控视频，以了解孩子的上课状态和细节。她总是随时拿出她的手机，回复邮件或察看报表，有时也会站起来走到空中花园去接电话，看神情应该全是有关工作。

有一次我想走近她和她聊聊小圈圈的情况，却被她不耐烦地挥手赶开。她看上去真的很忙，分明是年轻漂亮的女人，却过早地有了一张冷硬的面具。

昨天小圈圈开始哭闹不肯进教室的时候，本来琴姐准备先单独带她去空中花园区玩一会儿，再和她好好沟通，谁知圈圈妈妈突然大怒，要琴姐立刻把“那个安安老师”找来。

小圈圈得到妈妈支持，原本已经慢慢平复的情绪再度点燃，孩子在地上开始打滚尖叫，谁劝也不听。

我就是在那个失控的场面中赶到的。

上课的家长和孩子已经全部停止了课程，跑到大厅里看热闹。

有不少孩子都被吓哭了，有些家长开始指责早教中心管理不力。

而圈圈妈妈正抱着双手，不断地做出冷笑的表情，小圈圈还在地上撕心裂肺地哭叫打滚，现场却没人阻止她。

我看到琴姐气得都哆嗦了，却仍然不敢对小圈圈的妈妈有什么作为，倒是菲菲等几个年轻老师，脸上都有些可疑的红指印。

我顾不得多话，一把分开人群，跪在地上，用身体挡住小圈圈打滚的路，她正好一脚蹬过来，踢在我的右大腿上，疼得我抽冷气。

看来这孩子是使了全力在闹了。

我俯下身一把搂住她，忍着她的拳打脚踢沉声叫她的名字："圈圈！圈圈！你看看我，我是安安老师！"

我的声音并不大，在刺耳的喧闹声里，显得滴水入海，但是因为使尽全力搂着小圈圈，她到底还是听到了。

她一下子哭声止歇，瞪大了红肿的眼睛，努力地确认着，因为停得太急，喉咙里发出剧烈的抽气声。

我一下一下轻拍她的背。

其实我也已经被这场面弄得有些紧张，但我仍然用尽量平静的语气安慰着小圈圈。

确认真的是我以后，小圈圈一下又松懈下来，刚才还是一副天崩地裂闹死方休的状态，现在竟然说笑就笑，说不尽的纯真可爱。

我也松下一口气来。

大概是刚才使力过度，圈圈开始剧烈呛咳，但挂着泪珠的小脸，却仍然欢喜地朝我仰着。

就在这时，意想不到的情况发生了，原本站在一旁一直冷笑的圈圈妈妈，突然一把把圈圈从我怀里拉了出来，动作很大。

我小吃一惊，抬头看她。

却见她已经不顾圈圈咳得呼吸困难，一把横抱她说走就走。

等我们反应过来追出去，电梯门已经徐徐关上了。

那天我留下来听琴姐倒苦水，又陪她吃晚饭，弄到很晚才回去。

才知道原来圈圈的外公是本市政要，圈圈妈妈自己也身居要职，所以她性格强势气焰嚣张，琴姐也只能强忍。

据说圈圈刚开始闹时，原本琴姐不想叫我，想叫几个年轻老师去安抚圈圈，可几个姑娘还没靠近，圈圈妈妈就直接拎包劈头盖脸地砸向她们，有一个还被她掌掴了一下，当场哭了。

我听得连连惊讶，不禁更替小圈圈担忧。

后来琴姐消气后又恢复了商人的精明，表示明天想去上门道个歉，我就一冲动自告奋勇陪同前往了。

话出口才发现琴姐冲我诡异地笑，敢情她就等着我这冲动呢。

下班后琴姐过来接我，我不甘心地又掏出手机来看，封信的短信还定格在早上那个笑脸上，这一天我只要一偷闲就在琢磨着该发点什么给他，却直到现在还在患得患失。

路上琴姐跟我说，圈圈的妈妈叫姚姚，圈圈跟妈妈姓，就叫姚圈圈。

我问："那圈圈爸爸呢？"

琴姐说："不知道，我们一直觉得圈圈的性格和她的家庭情况有关，也试图沟通过几次，但姚姚完全不说，估计是离婚了。"

半小时后到了姚姚家的小区，琴姐打电话，原本已经约好了的姚姚却带着圈圈在外面就餐，说是圈圈突然想吃麦当劳。

我们只好又赶去餐厅。

进了麦当劳，很快看到姚姚独自坐在窗边，正好是个四人位，我们过去打招呼，发现圈圈正在儿童游乐区和小朋友玩。

气氛比昨天缓和了很多，我打量坐在对面的姚姚，她今天表情平静，妆容精致，整个人时尚而优雅，完全看不出昨天掌掴老师的无理了。

我笑着迎上脸去，说："圈圈昨天回去还好吗？"

姚姚淡淡看我一眼：“回去又吵着要找你，也不知你给她施了什么魔法。”

我鲠了一下，琴姐已经接上：“安老师是香港过来的教育专家，对儿童心理有非常深的研究，没有小朋友不服她的。”

姚姚说：“听口音不像香港人。”

我答：“我就是C城人，只是在那边读了几年书，然后工作了两年。”

姚姚哦了一声，正准备说什么，身边飘来一阵浓郁的香水味，伴着一个夸张的娇声：“哇！这不是姚姚吗？大小姐居然也吃这种垃圾食品了……”

我们同时扭头，看到一个戴着大流苏耳坠穿着牛仔裤细高跟鞋的女人大大咧咧地走了过来，狭长的眼睛上夸张的眼线透着明白的娇媚。

她笑得如金铃齐晃，脸对着姚姚，完全无视我和琴姐的存在：“最近过得好吗？给圈圈找着新爸爸了吗？”

我和琴姐齐齐暗抽了一口冷气，琴姐这个老滑头，居然二话不说直接起身做天真状扑到儿童游乐区看圈圈去了。

我尴尬地坐在那儿，幸好开始买了杯饮料，于是低头喝饮料。

却听姚姚声音冷硬：“李青蓝，嫁出去了吗？有男人要了吗？”

被叫作李青蓝的女人哈哈一笑：“我大概是嫁不掉了，能看上的男人被抢走了，心早死了。不过幸好我不用给孩子找爸爸，一个人倒也自在。”

她突然俯低了身子凑到我和姚姚的中间来，我一惊赶快把头后仰，她却毫不在意只盯着姚姚。

“你不是成绩好学历高吗？你爸不是只手遮天吗？你不是样样比我强吗？姚姚，怎么你找的男人，一个接一个都不要你了？这么高贵的大小姐，怎么和我这样的贱民一样凄凉啊？”

她用我们都听得到的声音不急不徐地说完，然后恶作剧般大笑起来。

直起身，肩包一甩，扬长而去。

喧闹的麦当劳里，大概没有他人会注意到这一小段插曲，只留下满心尴尬的我，和面色铁青的姚姚。

“好奇吗？”姚姚突然出声，我意识到她在问我。

我想了想，还是实话实说：“每个人大概都有自己的苦处，表面活得风光的人更是如此，姚小姐不必太在意他人眼光。”

似乎是有些意外我会这么说，姚姚原本因为李青蓝的挑衅有些竖起来的刺，竟然软了一软。

顿了顿，她把杯子里的饮料一饮而尽，我注意到她的杯子里还有半杯冰块。

“女人吃太冰的东西不好。”我提醒她，何况现在是冬天。

她又看我一眼，但目光不再那么尖锐。

我们一时间都沉默了。

我开始隐隐猜到小圈圈性格的成因，虽然不会精确，但世间故事大抵是那么几出。

似乎是勾起了倾诉欲，姚姚沉默半晌后，竟然对我开口道：“那个女人，是我高中最好的朋友。”

我并不意外地点点头。

她笑了笑，我发现她笑起来的时候，还挺有女人味。

“我连出国那几年，都一直和她保持着密切联系，我们曾经无话不谈。可是回来后一个月，我就爱上了她追了两年的一个男人，她追了两年都没成功，我却成功了。”

“后来，那男人抛弃了我，我们谁都没有得到那个人，却彼此成了仇人。”倾诉简洁地结束，保持着她一向的风格。

“姚小姐，你要相信，你们都值得更好的。”我不知不觉原谅了她之前给我的坏印象。

她点点头，又摇摇头。

“我也告诉自己，我必须值得更好的，才能加倍弥补之前命运对我的亏欠。”她的高傲又回来了。

圈圈蹦跳着跑了过来，看到我眼睛一亮，欢呼着搂住我的脖子，在我的脸上亲个不停。

我起身带圈圈去洗手，暗暗瞪了不讲义气的琴姐一眼。

在圈圈洗手的时候，我的手机突然振动了。

我拿出来一看，是若素。

电话里，她压低声音说：“姐，你快来我家，封信现在在我这儿！”

# 20. 我们大概是在谈恋爱

若素和何欢结婚后，一直和何老师老两口同住。

一方面因为若素怀孕了，何欢直接不允许她再上班，在家由自己的妈妈照顾；二方面何老师房子大，若素和婆婆公公又都相处甚欢，她性格活泼可爱老两口疼她胜过我们的亲妈，所以同住毫无障碍。

我之前也来过几次，却不知今晚为何封信也会过来。

打车到若素住的小区外面时，天空下起了小雨，我今天恰好穿了件带帽的棉衣，把帽子拉上来遮住头脸，飞快地跑进去。

等电梯的时候抬头看到墙上的电子广告屏，正在播放某商场的圣诞促销广告，这才惊觉，只有几天就是圣诞节了。

心里有一点异样的小小悸动。

来开门的是何老师的老伴儿秦阿姨，秦阿姨热情地拿拖鞋给我，我刚换上，就听到何老师热情的大嗓门招呼了上来。

我被他大呼小叫着推进了若素和何欢的房间。

一进去，第一眼看到的是封信。

我一接到若素的电话，听到封信的名字，就中了魔法一样往这边赶，却只到此时，才觉得自己的突兀和尴尬。

若素躺在床上盖着被子朝我偷偷做鬼脸。

封信和何欢坐在离床稍远的沙发上，看到我，何欢站起身招呼，封信却只是看着我微微含笑。

我不敢多看他，胡乱点一点头，赶快跑到若素床边坐下，假装对她嘘寒问暖，却暗里用力捏了捏她的手。

若素这个丫头一个劲地嘻嘻直笑。

何老师在身后声若洪钟："小素丫头吃完晚饭后有点肚疼，我赶快电话封老头，老头把他的宝贝孙子派来了。"

我大吃一惊，急问若素："怎么回事？"

"没事没事，刚才已经摸过脉了，小封说没事，就肯定没事。"何老师又抢答。

我这才放下心来，也明白了封信在这里的原因。

转过头去，又一次对上他的目光，心里跳得厉害。忽然想起何老师介绍了我和封信相亲，这件事我暂时瞒了若素，却不知道现在怎么交代。

何老师转身出去帮秦阿姨端茶进来，一会儿进来看到我和若素在一起低语，何欢和封信在一块儿闲聊，忍不住奇怪地问："小封，你和安之，昨天没见成？"

我心里暗暗叫苦。

封信看了看我，清楚答道："见了的。"

"那你们怎么和不认识似的……"老头儿挠挠头皮，一脸不解。

何欢摇摇手指："爸，此壶不开。"

若素却伸长脖子叫了起来："喂！封信！你现在和我姐是什么关系？"

我一下子汗毛都竖起来了，不知他们这是演的哪一出。

何老师急了："什么开不开的！小封，你昨天跟你爷爷怎么说的？"

我心里一颤，忍不住看过去，却看到封信似乎并无窘迫，面上很暖地笑了笑，站起身来，缓步走到我身边，却是向着若素，伸手搭了搭她的脉。

"别激动。"我注意到他今天的声音有些微哑，质地良好的黑色的风衣袖子蹭到我的手腕，距离近得让我失神。

他微微转头看我，他比我高大半个头，从我的角度看，他额前的碎发恰好在他的眼睛前投下柔和的阴影，而灯光分明比月光更暖，却不知为何，仍然照得他脸色有些苍白。

他这样一个男人，好看得令我心碎。

他轻声说："我还没有问过她的意见。"

他看着我，语声柔软："如果她不反对，我们的关系，大概是在恋爱。"

"封信！"我脱口而出，自己都没有发现，自己的声音里，是满满的无法抑制的哭音。

他说我们在恋爱。

像一件最正常不过的事情，对身边任何一个陌生或者不陌生的人坦言。

我一直认为，这是爱情关系里，一个男人对于一个女人最深刻的尊重与认可。

而前一秒，我还在怀疑他是否愿意在外人面前承认与我相识。

而前一天，我辗转反侧，忧心他是否还愿意与我再一次约会。

而现在，我们在恋爱。

周围的一切都不在我的眼里了，我的眼里，只有封信，只剩封信。

他就是我毫无抵挡可能的宿命。

依稀间听到何老师哈哈大笑："我昨天才知道，安之丫头从中学开始就喜欢你，难怪那天问她，答应得那么爽快！"

我大窘瞪向若素，若素连忙澄清："我昨天听说你去跟封信相亲了！作为你隐瞒我的报复，我才把这件事告诉了何欢一个人！"

何欢摊手："我也没和我爸说。"

何老师嘿嘿乐："我昨天晚上路过你们门口自己听到的。"

若素急叫："我们说话声音那么小！爸你是贴在门上听的吧！"

何老师急了："你爸我为人师表怎么可能那么不正经！"

两个人一齐眼巴巴地看着何欢。

何欢一本正经地沉思片刻，伸手摸摸爱妻的头，用我们恰能听到的音调说："据我了解，有可能的。"

若素笑成一团。

何老师仰天长叹："家门不幸，家门不幸。"脸上却分明是浓浓的慈爱和满意。

笑点的转移化解了我的尴尬，我偷偷看封信，却发现他好像有些心神不定。

“衣服湿了。”他伸手抚了一下我身后的帽子，轻声说。

我一怔，意识到他在说我的衣服，才想起刚才淋了点小雨。

暖暖的情绪在心里弥漫开来。

我忽然鼓起勇气，伸过手去，偷偷触了触他的手。

却吃惊地发现，他的手，是异样的冰凉。

我粗心到这时候才发现异常，屋里分明开足暖气，但他却冷得微微颤抖。

## 21．曾经他若不许，你就连埋怨也不敢轻易

“你发烧了干吗还出来啊。”我一边开车一边埋怨他，然后发现自己在他亲口确认了我们的关系后，陡然变得嚣张了起来。

爱情里，其实是允许你爱的那个人，给了你嚣张的权利。

曾经他若不许，你就连埋怨也不敢轻易。

现在我开着他的车，送他回家。

他有些疲惫地靠在右边的座位上，手指轻按额头。

“何欢很急。”他说。

“可你也在生病。”我还是心疼，因为心疼，所以不放过他。

“那个人是你妹妹。”他提醒我。

我身体里的某个地方就那么微微一酸，然后住了嘴。

过一会儿，我说：“谢谢你。”

他反问：“谢什么？”

我讪讪而答：“那个人是我妹妹。”

真是废话。

但是我感觉到他微微笑了起来。

“不回我家，回医馆。”他指路。

“为什么？”他现在应该回家休息。

“医馆里有我的单独房间。”他解释，声音有点无力，“我不想被爷爷发现我生病。”

“你经常生病？”我以为医生自己应该身体不错。

“从小就容易发烧，但爷爷还是每次都会担心得睡不好。”他说。

我只好开向医馆。

夜晚的医馆里还有值班护士，开门时看到封信过来并不惊讶，想起不久前重遇他也是半夜在这里接诊土豆，看来他夜宿医馆是常事。

但小护士对我倒是表现出莫名惊诧，八卦之心浮于面上。

想来她今晚的电话粥有料可聊了。

封信虽然在发烧，而且看上去有体温持续上升的趋势，但他还是坚持自己到煎药房把之前已经熬好的药喝了，这才在我的催促下躺下。

房间里只剩下我们两个人。

我环视了一下这间房，发现尚算舒适，才微微放下心来。起身检查了一下空调的温度，又倒了两杯开水先凉着。

再回到床边，看封信已经闭上了眼睛，呼吸有些粗重，脸色不再苍白，却呈现出异样的潮红。

我坐在他身边呆呆地看着他，他的睡颜美好，在安静的空气里，更像一个过分温柔的梦。

那一刻我脑袋里好像闪过了很多很多的片断。

我一直记得，他很爱拍天空的照片，高中那会儿，很多人都知道他有一台相机，经常有人看到他把镜头对着天空。

我不知道他为什么喜欢天空，但是我一个人行走的那些年月里，我也神奇般拥有了相同的习惯，几乎每一天，我都会给天空拍一张照片，然后写上拍摄日期。

喜欢一个人，喜欢到几乎看不见希望的时候，只能靠着一些自己给予自己的暗示，来证明自己还在继续坚持着。

我拥有三千多张天空的照片。

而我不知道，这些年，封信拥有多少张天空的照片。

可是以后，我们拍的天空，会是一样的吧。

因为我们，在一起了啊。

不知过了多久，我看到他的睫毛轻轻动了动，眼睛睁开来。

我抬头看了一下墙上的钟，发现已经过去了一个多小时。

他的脸色已经没有那么红，呼吸也轻了下来，他把手从被子里伸出来，探了一下自己的额温。

我起身往杯子里加了些开水，端过来给他，他已经坐了起来，披上外衣靠着床头。

因为发烧的原因，他的嘴唇有些干，温水流进去，他的喉结轻轻滚动。

我看到他喝了几口，突然停下来了。

我还在疑惑，就看到他眼皮也不抬地盯着杯子里的水，叹了口气。

“安之，一直被人这么盯着，我也是会有压力的。”

我急忙低下头，脑袋里晃了晃，却又勇敢地把头抬起来了。

我严肃地对他说：“你要习惯和适应，因为我以后可能会名正言顺地这样一直盯着你。”

我们对视了几秒，就在我纸老虎现原形的前一刻，他忽然温柔地绽开了一个笑容，说：“好。”

空气里有着异样的暧昧在滋长。

我像小狗一样垂下眼皮，视线只及他胸口，用自己都几乎听不见的声音叫他：“封信。”

但是他居然听见了。

他说：“嗯。”

我又叫了一声：“封信……”

他说：“嗯。”

只是一个单字，听在我的耳里，却为什么那样温柔。

你若不曾这样爱过一个人，大抵不会明白那样的微妙。这世间有千万人，但唯有那人，可随时随地，让你幸福惶恐到立时可哭。

我觉得我大概也要发烧了。

我坐在他的床边的椅子上，这样的距离，并未曾贴身，却已是我笃定多年的奢望。

我的眼睛又不受控制地变得酸涩，有泪花开始打转，幸而低着头，他大概未曾得见。

我瓮声说："封信，今年我们一起过圣诞节好不好？"

他说好。

我又说："我会送你圣诞礼物，你也偷偷给我准备圣诞礼物好不好？"

我真是得寸进尺啊，我真是贪心不足。

但是我已经在控制，有那么多汹涌的愿望或是奢望，我想用它们把他淹没，此去经年，千年万年，巴斯光年……我怎么能告诉他，我所有的愿望，都是关于他，只有他。

这一次，他没有回答。

窗外风声渐大，已经接近午夜。

我想起那句歌词：恨不得一夜之间白头，永不分离。

这一刻，如梦如幻，我若是灰姑娘，也只想忘记时钟，忘记魔法。

刚才的勇气不知道偷跑去了哪里，我的头越垂越低。

封信沉默了片刻，像一个世纪那么漫长。

他轻声说："安之，我结过一次婚，但是却没有谈过一场恋爱。"

我没有想到他会突然提及这个，这是他第一次提及他的那场婚姻，我猝不及防地震动了一下，抬起头来。

他顿了顿，语声里有几分意外的黯然。

"我不知道一个近三十岁的男人，还有没有机会再去谈一场单纯的恋爱，我甚至不知道我应该做哪些事情，说哪些话。"

"应该每天主动打电话吗？要牵着手带你去看电影吗？在下雨的时候提醒你带伞吗？在朋友面前介绍这是和我一起的人吗？在所有的节日和非节日为你准备一个个惊喜吗？"

“这些我都会努力去做，但是安之，我很紧张，如果我没有做好，希望你提醒我，我不是一个完美的人，但你要相信我真的愿意努力。”

我震惊地看定他，他并不回避我的目光，墨色的瞳孔如月光下的海，无意掩饰那些细碎的不确定与茫然。

他终于不再是那个一脸清冷的封信。

他把自己向我打开，而他原本没有必要这样做。全世界都知道我爱他，我从九年前爱他一人，爱到如今。就算他视我如尘埃草芥，我也依然爱他。

但是，他说他想把我当作珍宝。

我突然站起来，在他吃惊的表情里，用尽我全身的力气抱紧他。

我抛开了所有的矜持和顾虑。

七春曾经说过，我这个人，看起来表面最温和无害，但骨子里其实最为叛逆和固执。

她说因为我太清楚自己要什么，因而竟在经年岁月里一丁点也不肯妥协，不肯将就，不肯错过。

就如此刻。

我抱住他，任后来的世人会如何嘲弄，任他会怎么想我，都是我先抱住他。

我不停地说：“这些我来做吧，全部我来做。我会每天给你打电话，我会想尽办法缠着你，我会提醒你所有的节日，不管你有没有回应，我都永远不会生你的气。”

我泪流满面，止不住断续：“你只要不拒绝就好了……你只要愿意接受，那就很好很好了。”

他没有挣脱，也没有说话，半晌轻轻动了动，大概是想换一下姿势，但我却执意不放。

不知道过了多久，我居然就着这个别扭的姿势迷迷糊糊睡着了。

大约是在梦里，依稀听到他的叹息：

“安之，别放开我。其实，我比你更害怕，自己会退缩会逃避。”

*恨不得一夜之间白头，永不分离。*

# 第八章

## *Flower*·圆圈

有多少次长大后，我都曾回头苛责十六岁的自己，不够美丽，不够勇敢，不够优秀。但现在我终于知道，即使是那样的我，也曾被我心爱的少年留意过。

## [楔子·我若不爱，绝不会嫁]

封信是被手机的铃声吵醒的，动了动胳膊，感觉有些发麻，才发现自己看着书伏在桌上睡着了。

一边拿起手机，一边扫了一眼墙上的钟，发现已是晚上十一点多。

是一个陌生的电话号码，不屈不挠地响着。

他犹豫了一下，还是接了起来，声音带着一点病后的微微喑哑。

“喂。”

“爸爸！圈圈好害怕，呜呜……”电话里传来孩子稚嫩的哭声，如一盆冷水从头淋下，他顿时清醒，同时心里一颤。

姚姚又换了家里的电话。

“圈圈，你怎么了？”这个时间了，孩子早该入睡，为什么会给他打来电话。

“妈妈……妈妈生气跑出去了，我一个人在家害怕……呜呜……”圈圈哭得上气不接下气，她说话早，虽然才五岁，但表达能力却已经非常出色。

“唐婆婆呢？”唐婆婆是近一年来带圈圈的保姆。

“唐婆婆这个星期回家了。”

“那你等一下，我给你妈妈打电话，给你外公打电话。”

“不要不要，我要爸爸来，房子里有鬼，我要出去找爸爸……”孩子嚷嚷着，听声音已经开始摸索着往外走，连带着撞倒了什么东西，哭声又大起来。

他到底还是慌了，大声叫她：

“好好，我就来，你在沙发上坐着，不要动，哪里也不要去。”

发动车子的一瞬，他拨打了姚姚的电话，已关机。

那个小小的孩子，自生下来那天起，就注定命运多舛。

坚持要生下她的妈妈姚姚，将她带到人间后，只给她取了一个名字，就开始对她各种挑剔和躁怒。

而她的外公更是看都不愿看她一眼。

她名义上的太爷爷在得知真相后也对她心生疏离和怨怒。

她的降生，似乎只证明了自己是个不受欢迎的错误。

名字倒是美满，叫圈圈。

开始的两年，叫封圈圈。

后来他离开，就叫姚圈圈。

可是不管是哪个圈圈，似乎都不能成为一个完整的圆。

意识到自己犯下大错，也是从圈圈开始。

签下那纸荒唐合约前，他已和姚姚约定好，为了避免孩子对他产生感情，影响分离，他婚后虽与她们同住，但独居一室，并不参与她们的生活，偶在孩子面前出现，也只介绍说是“叔叔”，想来两岁的孩子，长大后也不会对这段有所记忆。

他输在不懂女人的心会变，那时的他，甚至来不及谈一场恋爱。

在学校的时候，没有那些精力与爱慕他的女生们周旋，而在封寻死后，很长很长的时间里，他几乎陷入自虐般的自闭。

他甚至不知道自己为什么要活着，如果一定要死一个，他希望那是他而不是封寻。

直到姚姚找到他，他突然惊觉他的父亲仍然好好地活着，竟然未为封寻领罪。

于是他醒了，于是他冲动，于是他交易。

一切想得太过简单天真。

姚姚怀孕后各种妊娠反应强烈，早期强烈呕吐，不胖反瘦，中期莫名晕倒，快生产前更是严重的抑郁反应，整夜无法入睡，有时尖叫哭泣到天亮。

医者父母心，何况是他名义上的妻子，他怎能坐视，于是从一开始的被保姆请过去诊脉开方指点汤水，到后来照顾她变成一种责任和习惯。

她终于平安生产。

她对他日渐依赖。

那时他已经心生警惕，孩子从医院回家，他就立刻搬离了姚姚的住处，住进了医馆。

但没过多久，姚姚就开始经常抱着圈圈出现在医馆，有时是孩子病了，有时是她病了。

所有人都知道这个漂亮高贵的女人是他的妻子，她怀里那个小小的柔软的新生命是他的孩子，他不得不在众目之下接过她，任她欢喜地伸出小手摸他的脸，触过的地方像有电一样，他不知所措。

圈圈九个月大时，含含糊糊地指着他叫出人生第一个词语：爸爸。

他大惊，私下里追问姚姚为何这般教她，却只得她一脸轻笑。

圈圈两岁时，他依合约提出解除婚姻关系。

他感觉出她不情愿，但他那时已经感觉到，自己一生一次的任性或许已经酿成大错，他不得不激她，赌她依然骄傲。

那一场婚姻里，他声名狼藉，成为众人眼里因为出轨而被妻子扫地出门的渣男。

但当姚姚一笔一笔在协议上签下自己的名字，力度之大几乎划破了纸张时，他却仍然如释重负般松了一口气。

他不敢看她的表情，亦不敢再多听一句那个已经会走路会唱歌会说话的孩子，在身后哭喊着“爸爸不要走”的声音，几乎是以狼狈的姿态夺路而逃。

未曾想，这还远远不是结束。

不多时就到了姚姚居住的小区，他停好车上楼，到了熟悉的门口，刚犹豫了一下，却发现大门竟然半掩。

任他再冷静，此刻也禁不住魂飞魄散，拉开房门冲进去，大声喊着圈圈的名字，却没有听到任何回应。

他一脚踢开虚掩的主卧门，突然愣住。

柔和的光晕下，穿着睡衣的姚姚醉眼蒙眬地看着他，桌上的红酒和生日蛋糕都已半残。

天真可爱的童音不知道从哪里钻出来，突然响在身后，稚嫩的小手更是用力把他往屋里推，同时焦急地喊着："唐婆婆把门关起来！把爸爸关起来！"

果然是关了起来，他回身，知道那小小的人儿还在门外催着保姆把门锁住，此刻当然可以一拉门把手愤然离去，但他伸出手，终究没忍心。

一瞬间就了解了全部。

和以前的许多次一样，她利用那孩子对"爸爸"这个身份的本能依恋，给他设下圈套。

听到圈圈在外面安心地快乐地叫："爸爸今天不许走！爸爸今天要陪妈妈过生日！"

他的心刺痛，只能沉默。

圈圈有什么错，她只是一个五岁的想要爸爸的孩子，以为自己在拯救世界也拯救自己。

他一直不出声地站在那里，冷冷地看着和白天不一样的姚姚，她此刻看上去美丽而软弱，面上犹有未干的泪痕，目光里对他是满满的歉意与哀求。

但他只要想到她这样利用圈圈，把原本可以避免的伤害一再扩大，试图把每个人逼到她设定的结局，他就不能原谅她。

他们一起犯了一个大错。

他想结束，而她却想拉着他一错再错。

门外孩子的声音已经消失，应该是心满意足地拉着保姆去睡觉了。

小小的童心里，一定觉得爸爸妈妈被她关在一起，明天起来就和好了，爸爸再也不会离开她们，他们可以幸福地生活在一起。

"是我的生日。"在封信的目光逼视下，姚姚终于略为沮丧地垂下头，酒精的作用使她的盔甲松动，她原本就生得美艳，酒红色的丝质睡衣微敞，胸前的曲线起伏，肌肤如雪般刺目，此刻更显诱人。

“是圈圈自己出的主意。”她知道他怒什么，试图分辩。

“看来以后姚家能出影后。”他挖苦她。

他本不是这样刻薄的人，但几年相处，他深知她是什么样的人。

“封信，你也没有更好的选择，忘记过去一起生活不好吗？我真的那么糟吗？”她平日里绝不会说出这样的话，即使在圈圈的亲爸爸听说她怀孕后坚决表示不要这个孩子的时候，她也一滴泪都没流，干净地松手。

但是，她强硬了太久，偶尔在深夜里对自己有一次后悔，应该也是允许的吧。

“我们只是一场生意的合伙人，生意做完了，关系就结束了。”他听着门外确无响动，伸手准备开门。

“不要走！”姚姚有些踉跄地扑过来，从身后抱住他。

女人柔软温暖的身体紧贴在男人的背后，封信全身僵硬猛地闭了一下眼睛。

“封信，我爱上你。”她也闭着眼睛，放任自己的喃喃醉语。

“姚小姐，你到底想怎样？”他问她，语气里只有愤怒和冷意。

“是真的，封信，是真的。”她知道他不信，带上哭腔，“我爱你，不要走。”

他终于怒极，突然猛地一挣，回身将她抱起，几步扔到那张巨大的床上，干净利落地拉起被子将她盖住，双手一压，她立时被锁在被中动弹不得。

“现在我要走了，如果你想大喊大叫惊动你的女儿，我不会再管。”他冷冷地说。

“封信！”看他真的头也不回，姚姚突然翻身坐起，语声里哭音顿收，瞬间带上一向的霸道狠厉。

她的转变之快也令他一怔，脚步一顿。

她不再追，只披散着头发，坐在床上忽地冷笑。

“你知道吗，我很后悔，为什么要那么骄傲，当年被你激得在约好的时间跟你签下离婚书。我应该永远拖着你，永远不签字……这个世界上，不应该再有一个新的封太太。”

这是她第一次说这些话。

虽然离婚三年来，她一直百般阻挠他相亲，用尽一切办法让圈圈缠着他，让周围的女人都不敢靠近他，但直接说出这些话，他仍略感吃惊。

“你爱的是圈圈的爸爸。“他忍不住提醒她。

“你错了。”她冷笑一声，从床头摸起一支烟来点上，刚才还柔情似水的女人，转眼已经变成女王。

这才是她的真相。

“封信，你错在太不了解女人，更不了解我姚姚。”她朝空中吐出一个烟圈，幽幽地看着他的背影，“我若不爱，绝不会嫁。”

## 22. 那些我曾倾尽全力期盼过的未来

周一的工作特别紧张，但最近我已经能灵活掌握这边工作的节奏，和同事们的相处配合也日渐融洽熟稔，因此并不感到吃力。

整个上午我总在偷看手机，连孙婷都发现了我的异样。

她偷偷摸摸发短信给我：

“亲妹妹，有情况哦！和我推荐的哪个钻石男勾搭上了？快招认！”

自从上次叫我替她在婆婆面前以“相亲”为借口掩护她溜出去和朋友玩成功后，她就一直说我是她上辈子的亲姐妹，私下里总是夸张地喊我“亲妹妹”，并且不遗余力地给我强行推荐了几个她朋友圈里的未婚男士，虽然我一再婉拒，但她却不依不饶地将人家的简历打印成应聘表格般整整齐齐地放到我的包里。

我回她：“嘻嘻嘻。不是你的推荐款。”

她大惊：“不可能！我查过星相书血型书无字天书，你和他们几个契合指数高达99%！”

我滴汗：“那你有没有占卜过，发现这个人虽然不是你推荐的，但也算是你认识的人……”

她发来黑煤球的表情：“谁？”

我脸红：“封信……”

她好久没有再回消息，依稀听到行政办公室里传来一声茶杯落地的声音，还伴着其他人的小声惊叫和抱怨。

我看看窗外的天，今天的天气是宜人的冬日晴好，天蓝得如洗过的宝石般明净，几朵悠然的白云自在地飘浮着，边缘处渐渐模糊和透明。

我把桌上的植物再偷偷拉近一点，常青绿叶温柔地伸着一个个小巴掌，像调皮的小精灵，帮我遮住自己热热的脸，埋首在电脑前。

无法置信，我和封信，在一起了。

“在一起”，这三个汉字从唇间滑过，似乎都能感受到柔软与甜蜜。

这曾是我倾尽全力期盼过的未来。

我必须让自己相信，这未来，就是现在。

十六岁时种下的蒲公英种子，此刻已经变成岁月的金砂，在我们相触的手指尖静静飞舞。

我依然坚定，也依然惶恐，怕自己笨拙，弄丢了它。

现在的我，还是不敢随意拨打他的号码，对他任性撒娇，向每个人大声地肯定地宣布他和我在一起，把这种快要撑破自己的幸福感，分享给每一个亲人朋友。

我鼓起了勇气，尝试着从孙婷开始。

有人的电脑发出了微弱的铃声提醒，中午下班时间到。

我像兔子一样蹦起来，抱起藏在桌下的保温桶，往电梯间跑。

二十分钟以后我站在风安堂对面。

中午的阳光真暖，没有风，路边的大树不畏冬日，依旧华盖遮顶，街上车流如梭，风安堂所处的街虽非主干道，但因地处市中心繁华段，街两边也很是热闹。

我想起一个月前，我也曾站在这里，偷偷张望着对面那木红色的木质门廊。

那时的心情，依然清晰。

[封信，你知道吗，我从早教中心出来，走到这里，我一共走了两千四百四十三步。

可现在我站在你的门前，却再也不敢前进一步。

原来，这就叫咫尺天涯。]

现在，我要跨过那一步了。

我深吸一口气，快速跑进地下通道。

快到对面的时候，从身后跑过来一个像风一样的身影，也许是太急没看清路，她狠狠地撞了一下我的胳膊，飞快地丢下一句对不起，就跑出通道口去了。

是一个穿着蓝色高中校服的小姑娘，高高的马尾巴束在头顶，一晃一晃很是青春逼人。漂亮的桃红色波点蝴蝶结发卡明艳可爱，让人很容易想象出如果她转过脸，脸蛋也一定是这样让人喜爱。

走出地下通道的时候，阳光的气息再次扑面而来。

我站在风安堂门口，犹豫着要不要给封信打个电话。

正是中午时分，重病急病老人孩子和外地病人都已经调到上午看完，这是风安堂一向的惯例，剩下的病人也多去附近吃饭，因此大堂内外人皆不多。

我听说风安堂外聘了几位德高望重的老中医，但人气最高的仍是最年轻的封信。

拿出手机来，号码还没有按下去，来电铃声已经响了起来，正是封信。

我的心又可耻地狂跳起来，再这样跳下去真担心哪天它会突然罢工。

我用保温桶抵住自己的胸口，接起电话：“喂。”

“吃饭了吗？”他问。

“呃，我……”大概要回答现在正在你门前，但是怎么有点羞于开口。

“嗯？”他的声音有些疑惑，突然说，“你等等。”

我还在琢磨着他这个“等等”是什么意思，就看到一身白大褂的清雅男子从内堂快步走出，手里还拿着手机，就那么准确地走到了我的面前。

“你在这里。”他目光炯炯地看定我，站在台阶上伸手，阳光打在他的侧脸上，我心跳过猛无法直视。

大脑又当机。

突然一个身影从他身后蹿出来，脆生生的女孩声音：“大叔你干吗不见我！护士姐姐说你在午休不能进去，果然是在骗人！”

竟然是刚才不小心撞了我一下的小姑娘，桃红色波点发卡在阳光下更加明艳，五官也是清秀可爱，表情更是活泼灵动。

封信不着痕迹地拿走了我怀里的保温桶，另一只手把我牵住。

“路明菲你还不回去，待会儿上课又该迟到了！”护士小岑跑了出来，冲那女孩嚷道。

“我是来给大叔送蛋糕的，我要看他吃了才走！”叫路明菲的女孩理直气壮。

我还没搞清楚状况，封信就已经大步拉着我往里走了。

他拉我进的是医生护士们一起用餐的小餐间，虽然我尽力赶来，但还是已经过了餐点，看得出大家都吃得差不多了。

“给她装份饭菜。”封信回头对跟过来的小岑说。

他总是什么都知道，知道我在门口，知道我还没吃中饭，我讷讷地开口：“粥……”

他才发过烧，应该吃些粥。

他点一下头，微微一笑，指着我向大家介绍：“程安之，安之若素的那个安之。”

反应过来的老医生们哈哈哈调笑起来，小护士也嘻嘻直乐，我不知道怎么打招呼好，恨不得给每个人鞠躬。

封信看上去似乎心情不错，自己拿碗盛了白粥在我边上坐下来。

路明菲不知道什么时候跟了过来，毫不客气地一屁股在我们对面坐下，恶狠狠地盯着我。

“这位大婶，你是大叔的女朋友？”声音虽甜糯，语气却毫不含糊。

我拿着筷子吃也不是不吃也不是，偷眼看封信，他正风轻云淡毫无压力地喝粥。

我赔上笑脸：“我……好像是吧。”

真没出息，还是只敢用这样含糊的语气。

同时心里在默默泪奔，我们应该也比你只大七八岁，为什么就成了大叔大婶……

路明菲从鼻孔里哼出一声：“你们是怎么勾搭上的？你倒追大叔的对不对？”

“是，相亲吧……”不知道是不是应该从这里算起呢？我声如蚊蚋，没底气，还是没底气。

封信突然抬眼，嘴角微扬地看看路明菲，又看看我，再对她开口道：“这个姐姐是你前辈，比你还低一年级就开始追我。”

小护士们哇地尖叫起来，大概是很少看到封信有这么八卦调侃的一面，大家的胆子顿时大起来，小岑更是戳着路明菲的脑袋笑：“早说了你不会有机会的！要是封医生是随便能追着的，还轮得到你，我们早下手了！”

我不知道封信葫芦里卖的什么药，只能低头猛吃饭，反正他说什么就是什么。

路明菲看封信终于搭理她了，顿时显得很高兴，扬着脸问：“她那时候对你做了什么？”

“她……”封信认真思考了一下，勺子在碗里划了一个圈，“她在学校里任何一个能找着我的地方偷偷盯着我，然后把我画成漫画。”

我一口白饭差点卡在喉咙里，眼泪都差点给逼出来，可怜大家都被封信吸引，完全没人在意我的反应。

“别人都送我很漂亮的礼物，她把一只丑得要命的恐龙扔给我。”

这个他也知道！我恨不得把脸埋到饭碗里。

“我毕业的时候跑来送我明信片，要我记住她的名字……”他突然顿了一下，笑了笑，“不说了。”

其实他每说一句，大家都发出高低起伏各种“啊啊啊”的尖叫，已经“啊”成了一片交响乐，外面不知情的病人一定以为这屋里的医生护士都疯了。

路明菲不服气地大叫：“我还以为她做了什么！大婶你好土！是不是还为了追上大叔好好学习来着！”

我中枪：“是……”

路明菲飞快地打开自己一直捧着的心形盒子，露出里面漂亮的烘焙蛋糕：“大叔！我不放弃！自从那天我胃疼被送来这里，你给我看病以后，我就对你一见钟情了！我会追上你的！你看，我已经会做蛋糕了，她还只会煮这么土气的粥！”

我默默在内心惊叹了一下她的烘焙手艺，也惊叹她的勇气。

封信递了杯水给我，满眼同情。

“是啊，她一直很土很呆，到现在都还是站在门口不敢直接进来。”他叹气，语声温和，却似带着笑意，“但是当我知道她已经这样追着我第九年的时候，我就觉得她很厉害了。”

路明菲愣了一下，还是倔强：“我也可以追你九年！”

封信的笑意更明显，他笑的时候比冬日里最温暖的阳光更加轻盈绚烂，一瞬间就能铺满整个房间，冲进我的心底最深处，扫光所有的不安阴暗。

“去上课吧。”

那一天，我在路明菲的身上，仿佛看到了孤独而倔强地站在时光彼端的自己。

小小的姑娘，站在爱情最初的入口，燃尽孤勇。

那么青涩，那么跌撞，那么茫然，那么假装无所畏惧。

那时的我，只能幻想着明天的颜色，幻想着能够与我所爱的少年接近一点，再接近一点点。

其实，胆小如我，根本不曾认真地奢望过未来。

有多少次长大后，我都曾回头苛责十六岁的自己，不够美丽，不够勇敢，不够优秀。

但现在我终于知道，即使是那样的我，也曾被我心爱的少年留意过。

我那些小小的心思与动作，原来全落在他的眼里，多年以后，依然清晰。

一点一点，串成我们的故事里，最初开始的片断。

## 23. 你给不起，就不能要

“什么？你说好的圣诞约会泡汤了？”七春从她的笔记本电脑后面探出头来，大喊大叫。

我没回答，开始翻动我的工作资料，脑袋里飞速转动盘算起来。

“有阴谋！”七春丢下手里的工作，跳过来像只毛茸茸的大狗一样假装在我身边嗅来嗅去。

“瞒不过你。”我开始打电话，“我要请两天假去一下北京。”

两天前封信代替爷爷去了北京，参加一个学术会议，本来说好今天回来，但却临时有了其他重要出诊任务，得圣诞节以后才能回来了。

七春啧啧啧地羞辱我：“你这个样子，就和十六岁发情期的小姑娘似的，还旷课去约会呢！”

我甩开她跑到阳台去说电话，依稀还听到她在怪腔怪调地唱歌。

直到坐上了去北京的航班，我的心还在怦怦直跳。

从做了这个大胆的决定开始，我就一直处在一种紧张又兴奋的状态中，果然和七春形容的一样，像十六岁发情期的小姑娘。

我从远方赶来，赴你圣诞之约。

我要在圣诞节赶到封信的身边。

我想和他一起过圣诞节。

我幻想了好久好久，终于可以看着他的眼睛，对他微笑，亲手送他礼物，对他说圣诞快乐。

像许多年前想做却没敢做的那样。

飞机降落的时候是下午四点，我走出机场。

那一天北京的天空灰蒙蒙的，不似来处晴朗，厚重的灰色云层安静地堆在头顶，气温很低，等车的时候不少人都在微微搓手跺脚，也许快要下雪了。

我拿出相机对着天空按下快门。

在酒店安顿好，又休息了一会儿，再拨打封信的电话，却没想到，电话里竟意外传来无法接通的声音。

他不是那种会忘记充电导致电话不通的人，他一向敏锐而细致。

我有些莫名的不安。

一次又一次地拨着那个号码，却始终无法接通。

窗外的天已经渐渐黑了，华丽的街灯在圣诞夜全部点亮，成群的情侣在我面前晃过，风大了起来，但却无法阻挡节日的热情。

我有些茫然地在长安街上走着，封信的电话已经改为关机。

我裹紧自己的大衣，走到街边买了一瓶矿泉水，冰凉的水顺着喉咙流进身体，刺激得我吸了吸鼻子。

也许这样看上去，会比较像因为冷而有点不安。

我有点害怕承认是因为找不到那个人而不安，我想要自己的内心安全而温暖，这样才能理直气壮地站在他的身边，成为他满满的正能量。

其实这个城市，我曾经来过一次。

那一次和这一次，都是为了他。

进入高二以后，封信消失在我的世界。

那时，我并不知道他也从其他人的消息网里消失了，我天真地以为只有我得不到他的去向。听说只有北京和香港那两所著名大学是他的选择，我唯有埋下头拼了命地读书。

那两年，我念书念到头发蓬乱双目无神人如鬼魅，但终于在高考填志愿前，勉强得到一个令师长父母都无比满意的结果。

但我迟迟无法决定我要考去哪里。

我怕找不到他，我怕再也不能遇见他。

于是我做了一件差点让父母发疯的事，我在填志愿的前一个月，拿出我的零用钱积蓄，买了一张去北京的车票，上了车后才借邻座手机给家人发了一通短信。

我说，我要去北京几天。

那以前，我甚至没有离开过我居住的这个小小城市，连搭乘不同区域的公交车，都时常会迷路。

那时，十八岁的我亦曾茫然地站在这个城市最古老又最繁华的街头，我拼命地忍住眼泪，坚持着因为可笑甚至不敢言说的那个梦。

我最终找到了那所连名字都闪着光亮的大学。

我用了三天的时间，问遍了每一个系的人。

但是，他不在这里。

我永远不能忘记自己在昏暗的小旅店的卫生间里，对着模糊老旧的镜子一次次地微笑，告诉自己，程安之，他不在这里，他一定去了香港，你没有弄丢他，你一定还会遇见他。

当我第六天终于从返程火车上疲惫地走下来时，满眼血丝的爸爸在出站口一把揪住我一顿暴打。

那是我长那么大第一次在公开场合挨打。

我被打得发了一场高烧，绵绵不愈，差点耽误高考。

时至今日，父母仍然不知道我那一次的离家是为了什么。就像我后来考去香港，他们也一面心存骄傲一面深感疑惑。

我在街上走来走去，走到双腿僵硬酸痛。

最后我走回封信下榻的酒店，坐在大厅的沙发上开始发呆。有时候我会觉得自己前生其实是龟类生物，什么事情都做得不够漂亮，但胜在有耐性。

一筹莫展的时候，我还可以自我催眠进入龟息状态——我不知不觉竟然靠在大堂的沙发上睡着了。

恍惚间手机突然剧烈振动起来，我一看，竟然是七春。

她排山倒海的气势从电话那端直扑过来，我在千里之外都仿佛感觉到脸上溅上了她的唾沫星子："程安之！你和封信是不是两个智障啊！"

我被她吓得魂飞魄散，不知道发生了什么事。

她还在那端惨叫："老娘听到门铃响，跑去开门，门口竟然堆满了我最怕的玫！瑰！花！他为什么不干脆在窗外架个升降机然后我一拉开窗帘他就阴森森地出现啊！索性把我吓死早死早投胎啊！你们两个是弱智儿童对不对！你偷跑去北京他偷跑回C城，一把年纪了玩你妹的惊喜啊啊啊啊……"

她自从高中那次被野狗同学的玫瑰花羞辱以后，就视此花为猛兽，见之失控。

重点是，封信偷跑回C城，他在我房间门口……

我现在只剩一个念头，是不是应该在酒店大厅华丽的柱子上撞死。

七春的惨叫声突然飘远了，电话那端，换成了一个熟悉的温润明朗的声音，带着自嘲般的叹息："安之。"

"封信……"我撞我撞我好想撞，声音瞬间哽咽了。

"对不起，惊喜变成了惊吓。"他叹气，"何欢跟我保证说这招很帅，但是我怎么做下来这么傻。"

想象着一身清傲的他站在我的出租房门口被七春劈头盖脸一顿臭骂的样子，我真是又觉得好笑又难过。

"说好圣诞节一起过的。"他在七春的排山倒海功里依然语声温柔，处变不惊，但听得出遗憾。

"没关系。"我鼻子酸酸的，"你快回去吧，一会儿我给你打电话。"

那天晚上的北京，近午夜时分真的下起了小雪，拉开窗帘，在城市的霓虹幻影里，看到细密的雪花飞舞，更远处隐没在黑暗里，但我并不害怕，也不孤独。

我和封信打了近四个小时的电话。

"我中午上飞机前感觉要下雪的样子，现在呢？"

"已经开始下雪了。"

"圣诞节的雪，C城看不到，这边的月亮挺亮。"

“那你吃晚饭没有？”

“我正想问你这句。”

这是我们认识以来，聊得最久的一次，笨拙的心意变成了傻傻的错过，却意外拉近了我们的距离。

我发现他其实很会聊天，只要他愿意开口，基本不会冷场，他还很会引导话题，轻描淡写的一句，就能让我接上好久，不经意间，就把我这八年来走过的路遇过的人做过的事，都交到了他的面前。

我唯独隐瞒了一件事，关于彦一对我的表白。

不是不愿意说，是不知道该怎么去说，也不知道说出来有什么意义。

很奇怪，我一直那么笃定，无论封信在哪里，我总有一天能再遇见他；而彦一，明明他就在那里，我一回头就能抓住，我却从来不曾怀疑，我们今生再也不会见面。

这大概就是爱情里的真相，从来没有可不可以，只有爱不爱。

妈妈很小的时候给我和若素念童话，就讲过这个道理：贪心的人从来不会得到好的下场，你给不起，就不能要。

平安夜的钟声响起的时候，我抱着手机，对电话那头的人说：“封信，圣诞快乐。”

他温柔地回答：“圣诞快乐。”

我已得到今生最想要的糖果，不能再奢求更多。

那一夜，一直在聊我的事，我什么也没有问起他。

关于他的这些年，他的爸爸，他的妹妹，他的第一次婚姻，他的孩子，他的未来。

有些片断已经从何欢那里得知，但有些真相只埋存在封信自己的心里。

如果他不愿开启，我就不去触碰。

我只想要接下去的所有日子，紧紧地拉住他的手，和他一起走在温暖的阳光下，我们可以一起去超市选最新鲜的蔬菜，去小区的广场上喂鸽子；如果他愿意，我们就再生一个他的孩子，然后一起陪着他慢慢长大。

我不是小女超人，我无法拯救世界，我的愿望只是好好去爱一个人，就一个人，然后自私地用尽全力地守护他一个人的温暖快乐。

*这大概就是爱情里的真相，从来没有可不可以，只有爱不爱。*

## 24. 那个小小的姑娘，是怎样血溅当场

早晨七点，飞机穿过仙女面纱般的朝霞，披着北国沁凉的雪气，降落在C城还未完全苏醒的机场。

开始的电话长聊，到半夜赶赴机场，我几乎一夜未睡。

原来刚工作时有重要项目要加班赶策划的时候，也曾经熬过通宵，原本不觉得什么，倒是在飞机上迷糊了一会儿，反而加重了疲累感。

我没有告诉封信我会乘这样早的一班飞机回来，如果他知道，大概不会允许。

电话里他温和而清朗的声音仿佛还贴在耳边，每一个句子，都带着令我痴迷的小小悸动，轻触我的脸颊，有一种梦幻般的不真实。

我不知道他会不会因为这个夜晚的长聊，而多喜欢我一点，但是我知道，我这样地想念他、想看到他，急切不止一点点。

我出了机场，打车直奔他家，在出租车上照了一下镜子，还好脸色不算太差。

到了封信家的小区，八点刚过。

已经有三三两两的车和人开始进出，有在小湖边打着太极拳的老人，和提着早餐袋匆匆赶回家的妇女。门口的保安管理挺严，看我在登记本上写上封信的名字，友好地朝我笑一笑。

我还没走到他家门口，迎面撞上了仙人一样捋着白须大踏步走过来的封老爷子。

我红着脸站定，向他鞠躬，叫“封爷爷”，想起上次何老师和封老爷子为了我叫他什么而起的争执，暗暗念道何老师对不住了称呼这事有点乱咱们以后再研究。

封老爷子眼神不错，立时认出了我，瞬间眉开眼笑。

“小程啊！怎么一直没来了啊，这是嫌弃我老头儿宝贝少呢？”

虽然是调侃，但我也如临大敌各种赔小心：“封爷爷，我挺想来看您的……”

老爷子一拍脑袋明白了：“嘿，是那小子的错……下次要封信带你来家吃饭，咱爷俩再接着聊。”

嘴里又哼了一声什么，突然表情就愁了，我看着挺有趣，封老爷子须发皆白，脸上皱纹却少，表情丰富的时候，颇像个老顽童。

我打量着问：“封爷爷，那，封信他……”

老爷子直接把话截了过去：“封信一早就跑出去了，这会儿还没回来，我家那只老狗昨天晚上出去玩，平时天气好会自己出去自己回的，都六七年了习惯了，睡觉前我锁的院门，本来以为它早进了狗屋了，谁知早上封信去牵它跑步才发现它这一夜根本没回来。唉，老了，锁门前我明明看了一眼，还以为狗回来了，趴那儿睡了。”想想又吹胡子瞪眼地生闷气，“狗东西。”

我一边安慰他，一边回忆起上次看到的金毛犬郭靖。

记起何欢曾经提过，封信离开学校后，一度变得消沉孤僻自闭，原来的朋友都断了联系，新的朋友圈也无从建立，这些年除了何欢与他还算有几分亲近，剩下的朋友大概就是被人家弃在他门口他收留了的金毛犬郭靖了。

我仔细回忆了一下郭靖的特征，记得上次我和它相处甚欢，抚摩它的时候曾发现它的右耳略大左耳略小，毛色也比普通的金毛更深。狗走失后的二十四小时是最宝贵的寻回时间，我顾不得回家，告别了自责的封老爷子，向门口的保安打听了一下附近的小区，也跑出去寻找。

附近小区并不多，旁边就是政府重金开发的护城河风光带，不远处还有一条高速公路穿过，如果郭靖不小心上了高速被人带走，那就比较糟糕了。

我一路问过去，连走了几站路，都没有问到有用的线索，不由得有些心急，琢磨着是不是应该上高速往收费站走过去问问。

这么想着，就准备过马路，走到斑马线一半，突然觉得脑袋一阵眩晕，眼前猛地一阵黑雾袭来，我一下子蹲地了地上。没等我反应过来，就听到刺耳的刹车声。

过了几秒，眼前渐渐恢复了视线，我才发现自己蹲在正人行道的中央，两边有两辆看似急刹停下的小车，有一辆车头离我的身体只距半尺。

我吓得手脚冰凉，在司机同样面色苍白的怒斥里，脚步发软地退回路边。

还未站稳，就感觉一个人像一阵强劲的冷风般，不知从哪里冲出来，蓦然拦在我面前。

穿着黑色风衣的封信冷冷地看着我，却并不伸手，也未开言。

他的周身带着我所不熟悉的致命的寒气，目光深处是熊熊的怒焰，一时间竟让我觉得自己犯下弥天大错，不可原谅。

我未张嘴已经呆住，我从未见过这样的封信，疏离、愤怒、冰冷、怨愤、表情失控。

这样的他让我觉得害怕。

他突然一把抓住我的手腕，不顾我头昏脑涨，把我往路边拉去。

我的手腕被他捏住，生疼，脚步踉跄着，甚至无法抬头，我只能尽力集中所剩的全部精神忍耐着那种强烈的不适。

我发现我们站在了一家小超市里。

他从货架上拿了一瓶早餐奶，扔给店员加热。

“喝。”他从牙缝里蹦出一个字。

我乖乖地喝下去，几乎是机械的动作，不敢反驳也不敢探究。

温热的牛奶流进胃肠，大脑似乎获得了能量的供给，不一会儿，人就缓过劲来。看来是一夜未睡，又接着奔波没吃早餐，低血糖犯了。

我有点不确定地看着封信，嗫嗫地开口：“封信……我……”

“不要跟我说话。”他难以忍受般转过头，充满厌恶的语气让我一时间如坠冰窖。

大概是看我有好转，他又一言不发地拉起我走出超市，走到路旁，我这才发现他的车停在附近。

他拉开车门把我塞进去，自己从另一侧上车，高大的身体从我的左前方覆过来，在我的右侧拉出安全带，把我扣在座椅里。

动作飞快，目光冰凉。

然后一踩油门，车子箭一般冲上大路。

路边的景物飞快地倒退，我不敢看封信，也不敢开口，只紧紧地抓住自己的包。

我隐隐猜到他如此盛怒的原因，却又不能肯定。

我听若素说过封寻的事情，他的孪生妹妹，因为极度的疲劳，在高考过后的一个清晨，恍惚地走在马路上被飞驰而过的汽车撞死。

那场车祸，带走了封寻，也改变了封信的人生。

我不知道,刚才他无意间目睹我几乎遭遇车祸的场面,是不是他失控的原因。

不知过了多久，车子在隆隆声里开进了熟悉的地下车库。

是我的住处。

封信面无表情地停好车。

“回去睡觉。”他说。

我自己解开安全带，把门推开，又忍不住回头看他。

浓重的阴影里，他把头微微后仰，似乎用力闭了一下眼睛。

“回去睡觉，现在不要跟我说话。”

我沮丧地打开房门，看到客厅里大捧的白玫瑰。

那玫瑰几乎堆满了小半个客厅，难怪昨天七春会惨叫成那样，但七春虽然嘴硬，到底还是心软，大概在封信走后，还是一边毒舌一边把它们从门外抱了进来。

七春却不在家里，不知道跑去哪儿了。

我蹲在那些玫瑰的面前，伸手抚摸它们的花瓣，却不小心被刺扎了一下。

我一点都不觉得痛，因为更痛的，是其他地方。

封信，真的是很努力很努力，在学习做一个好的男朋友吧?

但是为什么我看着他的努力，除了感动，还会有心痛。

同样不曾恋爱过的我，在这短短的几天里，渐渐开始明白，在一起的意义，是想给你幸福快乐。

因为他，我感到幸福。

而我更希望，我也能够找到开启他心门的那一片钥匙，勤奋地清扫掉他心里独自承受了太久的那些阴暗与伤痛。

我想让他和我一样感到活着和在一起是多么幸福快乐。

这一觉睡了好久，我醒来的时候，竟然已经天黑。

七春还是没有回来，不知道去了哪里，我给她打了一个电话，听到她在那边压低声音说话，大概有什么不方便，于是就告诉了她一声我回来了。

挂了电话感觉到手腕有些隐隐作痛，举到灯下一看，上午被封信用力抓过的地方隐隐有青印。

我对自己叹气，却又不敢打电话。

我把那些玫瑰花整理成一束一束的，找出房间里所有的瓶瓶罐罐插上，最后一大把实在放不下，只好插在了小水桶里。

我打电话问若素，她在那一端笑得花枝乱颤。

“是我和何欢恋爱的时候，他开始都不知道要送我礼物，结果有一次另一个在追求我的男孩子送了一大把玫瑰给我，我很开心拿到他面前炫耀，故意让他吃醋抓狂。结果他连着一星期，每天订不同颜色的玫瑰花给我，周一红的，周二粉的，周三黄的，周四白的……最发指的是，每一天都订一千枝，那些送花的店员都疯了……到了第七天我终于扛不住了，向他求饶，保证以后再也不收其他人的花了。”

我惊叹不已，猜不透何欢要封信对我用这一招的用意，心想何大律师不会教封信要送足七天吧?

却听若素在那端努力收了笑：“姐，我怎么觉得，封信对你还挺认真的……”

我佯怒：“你姐我不值得他认真吗？”

她说：“好吧，看在他态度不错的分上，我就不计较他结过婚有过孩子这段黑暗历史了……回头妈那关，我投弃权票！”

我心里微微一动：“妈知道了？”

“还不知道吧，但是好像有点怀疑你谈恋爱了，打电话问我呢。”

和若素又唧唧呱呱地闲聊了半天，约好周末一起回老妈那吃饭，这才挂了电话。无心下厨，去楼下小店吃了碗馄饨，又站在街边发了一会儿呆，终于还是拨了封信的电话。

电话只响了两声就接了起来，我松了一口气，却又语塞起来。

他上午冷漠的脸仿佛还在我的面前，短短的一个“喂”字也听不出喜怒。

“睡好了吗？”还是他打破了沉默，似乎已经恢复常态了。

“嗯，睡了好久。”我像小学生邀功一样报告，“对不起，你还在生气吗……”

他顿了两秒：“好多了。”

那就是没有完全好？

我急急地说：“我想见你。”

不知怎么的，这句不用打底稿就溜出来了。

他说：“明天好不好？”

我说好，又问起郭靖，意外的是，郭靖中午的时候竟然自己跑回家了。

大概是被人带走，又找了机会挣脱。

尽管知道了这个好消息，但我们聊天的气氛也没能变得活跃起来。

我们只说了几句，就沉默了，比起前一天平安夜里怎么说都似乎说不完的亲近，有些恍如隔世的沮丧。

我挂了电话，感到脸上有些凉凉的，伸手一摸，竟然不知何时眼睛在哭。

我索性一边走一边哭，像个不知节制的少女，反正这附近熟人少，谁也不会在乎一个陌生人的情绪和失落。

我找了条街边的长椅坐了一会儿，让眼泪尽情流出来后心里放空了很多，大概半小时后，我把脸擦了擦，站起来打车。

我蹲在封信家对面的大树下种蘑菇。

二楼他的房间有灯光漏出，咖啡色的窗帘上看不出人的剪影，但我想他应该在那后面，不知是微皱着眉，还是在伏案工作。

其实我也不知道我为什么来这里，我其实不是一个善于总结自我的人，用我妈的话来说，我一根筋，还死心眼，用若素的话来说，我是跟着感觉走。

我就是觉得，我得站在离他近一点的地方，感受着他在那里，我会心里舒服一点。

于是我就那么做了。

我的大大厚厚的黑色羽绒服带着一个大大厚厚的黑色帽子，我把帽子扣在头上，蹲在树下，想象自己现在的样子大概像个巨型蘑菇。

我有时看看天空，有时看看那扇透着灯光的窗子。

今晚的天空云层很厚，没有星星，也没有月亮，灰蒙蒙的一片。

一不会儿，我就被冻得手脚发麻鼻尖发痛，但是我的心，却一点一点平静下来。

突然，一束光猝不及防地照过来，打在我的身上。

我吃了一惊，仰起脖子，以手遮额，却看到早上给我做过登记的那个年轻保安的脸出现在手电的光圈里。

“啊，小姐，原来是你。”他也认出了我，松了一口气。

我大窘，朝他讪讪而笑。

“需要帮助吗？”他好奇地问。

“不用不用，我就走了。”我站起来摆手，压低声音。这小区这么安静，还到处装着摄像头，被封家祖孙俩发现我的行径就丢人了。

“和封医生吵架了吧。”真是一个八卦的保安，胸有成竹的样子好像情感顾问。

“呃……”不知道该怎么回答。

“要等他主动来找你，女人要高傲一点才珍贵。”情感顾问指点迷津。

“……”

免费替我做了一会儿情感咨询，保安终于充满成就感地走了，我揉揉又酸又麻的腿，也准备溜了。

路过封信家院子门口，到底还是鬼鬼祟祟地摸了摸门铃，没敢按下去。

我在心里默默地说了声晚安。

就在这时，院子里蓦然响起了郭靖响亮而欢快的吼叫声。

我吓得差点胆裂。

刚刚急走几步，身后的狗叫声蓦然又消失了，真是诡异。我松了一口气，擦着额头上冒出的虚汗，回头看去。

这一看，呆若木鸡。

只穿着一件灰色薄毛衣的封信站在他家院门前，一脸不忍直视的表情看着我。

郭靖老狗站在他腿边，好像也咧开了大嘴在笑我，毛茸茸的尾巴摇动得和大风车似的。

此刻如果切入我的脑内动画小剧场，应该是有一个小人趴在地上四肢乱蹬，边宽面条泪边娇嗔着“人家不玩了要被玩死了啊”……

封信没说话，半晌伸出右手，朝我招了招。

那模样大概和召唤郭靖也没什么区别。

我保持着呆若木鸡的表情，直直地、慢吞吞地凭着本能转过身子，朝他的方向挪过去。

还没走到近前，他就叹了口气，一把伸手把我拉了过去，塞进了院门。

我缓慢地摇头又摆手：“不……不进去……封爷爷……”

我再大脑当机也知道，这么晚跑到男人家里，被老人家看到，我这辈子大概也没机会翻身了。

他却懒得理我，把郭靖关在院里，拉着我就进屋上二楼。

又进了他的房间，虽然是第二次来，但此时与彼时的身份心情，都大有迥异。

屋里地暖开得很足，封信只穿了一件薄薄的灰色毛衣和一条米色的休闲长裤，好看得不像话。

大概在他眼里，我穿着厚重的黑色羽绒服被当场捉住偷窥的样子，也难堪得不像话。

我发现自己对于在他面前重新闪亮出场这件事，已经有点自暴自弃了。

内心里自怨自怜了一会儿，到底慢慢恢复了正常神智，我耷拉着脑袋，却想起刚才这阵动静，封爷爷怎么都没被惊动。

封信给我倒了杯热水，开口道：“我爷爷今晚棋局，还没回来。”

原来这么大的房子里，现在只有我们俩和一只狗在。

我顿时有点思绪涣散，默默地喝完那杯热水，加上屋里的室温，全身都敏感燥热了起来。

一时不知道该说些什么，我见到他的时候，大脑启动速度总是有些慢。

想了半天，终于含含糊糊挤出一句：“我……我来看看你。”

他没有回答，不知何时站到了我身边，我进屋后坐在他的工作椅上，原本是背对着书桌。他站到我边上时，顿时距离近得让我窒息。

我不敢抬头，却感觉到他的手在椅背上轻轻推了一下，我就一个利落旋转面对着书桌了。

我还没来得及松口气，就发现他一只手搭在椅背上，一只手从我身边绕过，修长的手指翻了翻桌上的大堆资料。

这样暧昧的距离和姿势，大概我只要一回头，脸颊就能蹭到他的下巴。

我什么话都说不出来了……

他声音很轻，如同叹息：“你看，今晚是真的走不开，不是因为生你的气，有出版社准备出我爷爷的第三本医学书，明天要定稿，我在帮他整理最后的文稿。”

我一分钟后才反应过来他在跟我解释什么，却只能再一次傻傻地重复自己的上一句话：“我……就是想看看你。”

“知道了。”他慢慢直起身子，伸手轻轻揉了一下我的头发。

这个动作让我一下子仿佛得到了解脱，有什么很重很重的东西一瞬间就消散成了云烟，人变得好轻好轻，心也轻得找不到了。

“你怎么知道我在外面？”这种美好时候，我却想到了这个纠结的问题。

“有个保安用防盗对讲机通知了我，顺便教育了我一下男人要大度不该让自己的女朋友这么冷的天在外面挨冻。”他微微一笑。

我想起刚才一溜小跑离开的那个保安的身影。

“这里的保安这么八卦啊。”我尴尬。

“你该感谢他八卦，不然你就该被当偷盗嫌疑犯带走了。”他有些欲言又止地看着我，终于忍不住问，“你热不热……”

我连连点头：“热。”

“那是你自己把外套脱了还是要我帮忙？”他不确定地问。

我怔了一下，被这句话的巨大延伸空间给镇住了，三秒后解除石化状态，噌地蹦了起来。

“我还是回去吧……”

真的好热啊……

又回到了我家的地下车库，我一面依依不舍，一面又内疚害他晚上加班更晚。

他说："我不送你上去了。"

我说："嗯。"

虽然答应了，人却迟迟没动。

他看着我。

我发现虽然过了这么多年，但他看人的习惯依然，大概很少有人会比他的目光更坚持，仿佛心无旁骛，能轻易让人心慌，也能让人充满笃定的力量。

我鼓起勇气叫他："封信。"

封信，封信。

他身体微微朝我探过来一点，温暖的手掌轻轻覆在我一只手上，算是回答。

我说："对不起……"

他问："为什么？"

我的声音轻微，但我努力让它清晰："我不爱惜自己的身体，我过马路应该加倍当心。"

其实，我不应该让你担心，我的疏忽，让你几乎重新经历了一次失去妹妹的噩梦，你看着那些车摇摇晃晃地在我面前戛然而止的时候，是不是仿佛看到了多年前，那个小小的姑娘，是怎样血溅当场。

她曾是你生命的另一半血肉，你们一起来到这个世界，但她却来不及与你告别。

我不知道，那有多痛。

痛到能让你这样冷静理智的人，在多年后都不敢提及，触之失控。

你不知道，我这个笨蛋，有多抱歉，多抱歉。

我是那么爱你，但是，我却不知道该如何去爱你。我小心翼翼，害怕弄丢了你，我惊慌失措，还是伤到了你。

请你再给我一点时间，让我好好学习。

还有太多太多话，我都没能说了口，它们堵在我的心头喉口。

我不是怕自己说错，我只怕再让你伤痛。

但那一刻我却有一种奇异的感应，我没说出口的那些话，慢慢地从我这里，飘向了他那里，他看着我不出声，却好像什么都听见了。

他默默地移开了自己的目光，车内一时间只剩发动机的枯燥声音。

过了几秒，我觉得有些尴尬，又讷讷地开口："谢谢你送的花……"

话音未落，突然感到自己的身体被缓缓地圈在了座椅里，猝不及防中，那人清冽的气息已经笼罩住全身，一时间，每一根发丝，每一个毛孔，每一次呼吸，似乎都陷入爆裂般的颤抖。

我全身僵硬，感觉到封信那么英俊的脸慢慢靠近，放大。

一个轻盈的、犹如蝶翼轻触般的吻，慢慢地，落在我的额间。

"安之，我其实是个非常固执，害怕改变的人。"

"我的感情一旦开始，就算死亡，也不能把故事结束。"

*“我的感情一旦开始，就算死亡，也不能把故事结束。”*

# 第九章

## *Flower* · 不弃

开在天空里和星星上的花朵，不愿意让人看见它们的眼泪。它们活得那么骄傲，试图让你以为快乐就是脸上在笑。

## [楔子·只有天空的相片本子]

那个错过但依然温暖的圣诞节过后，她抱来送给他的迟到的圣诞礼物，一本厚厚的相片本子。

小小的照片剪裁得精致，一排一排，像电影最原始的胶片，画面里，是深蓝、浅蓝、黯灰、素白，各种颜色的天空。那么多的天空，一帧一帧，仿佛蜿蜒成时光的星河。

每一帧小小的照片下面，都标注着拍摄的日期。她说，照片太多，无法全部放下，所以只挑选了一些记忆清晰的日子。

他发现她记忆某些细节的能力惊人，而她却说，原来在学校时，那些需要强背的科目，她怎样都学不好。

她把相片本子摊在他的膝头，像小猫一样坐在他的身旁跟他解说。

那一天的天空在下小雨，那个城市明明是很少下小雨的，有时台风过境，就是暴雨倾盆。她一个人在街上悠闲地走，遇到了卖棉花糖的小贩，她买了一朵粉色的棉花糖，因为下雨生意不好，小贩又送了一朵蓝色的给她。

那一天的天空阳光太强烈，照得人的皮肤发红，她和同学一起去了同学家的私人果园，发现有的树开花，而有的树结果。她想，啊，原来果子是不是香甜，和它的外表长得是不是美丽是没有任何关系的。

那一天天空很蓝，她思念他，想他会在哪里，什么时候才能重新遇见，还蒙上被子偷偷哭了鼻子。

……

他一直安静地听她说，一言不发，表情温柔。

后来她抬起头问他："封信，这些年你还拍不拍天空的照片？"

他知道她拍天空的习惯是源于他，那时他还是个少年，他把相机对准天空的时候，总能感受到身后那些女生的视线。

但那时，他骄傲得不需要知道谁是谁。

只是多年以后，他该如何告诉她，他早就不再做这件事，当然，也许放弃的远不止于此，还有更多。

她终于有机会问他："那时候，你为什么喜欢拍天空呢？"

她拍天空只是因为天空会让她想起他，但她却不知道他拍天空，是为了什么。

他想了想，说："因为那个时候，我觉得抬起头看着天空时，自己会变得很小很小，自己的烦恼和孤单也会变得很小很小。"

但是后来我才明白，重新低下头时，你面前的难题并不会消失，也不会变小，它依然那么大，横在你的面前，你的路上，你不知道能不能越过去，你对许多事情，依然无能为力。

他轻声说："自从封寻死后，我就觉得，我是不配去拍天空的人了。"

那是他第一次在她面前提起封寻。

他明明表情平静，但她却固执地觉得，他哭了。

她把脸轻轻贴在他的手臂上，细细的手指抓紧他的衣袖。

# 25. 这世间还有一人，信你如我

元旦过后，对过年的期待开始渐渐浮现在每个人的脸上，走在街头，或在超市买东西时，都会听到人们关于对年底工作繁忙的小小抱怨和对放假后的快乐安排。

我们公司的工作节奏也开始进入疯狂模式，加上我们组开发的系列绘本准备在春节期间全面上市，抢占年轻父母们对于孩子教育投资的新年第一波眼球，因此最后的宣传已经在争分夺秒，晚上和周末加班就成了常态。

周六已经约好了和若素一起回父母家吃晚饭，下午四点，她就开着车过来公司接我。

一过了怀孕前三个月的危险期，这个闲不住的小兔子就开始嚣张起来，开车购物出门邀饭，过得那叫一个春风得意。

我们一路说说笑笑回了家。

父母家住的仍是原来的单位小区。

自从我初三那年搬过来后，这里就似乎时光静止，再也没有变化。

在黄昏里悠然散步的宠物狗，聚在大树下拉一根电线挂一盏灯在玩纸牌的老人，不时有骑着自行车的熟人从身边过去，大声叫喊我们的乳名，我们却已经不一定认得对方模样。

所有的楼都不高，有些外墙已经斑驳，爬上了密密的藤印，但一排一排房子仍然整齐清爽，楼间不时能见到百年树龄的老树，即使是盛夏，小区里也会因此而多一分清凉。

从楼和楼之间走过的时候，两边的窗子传来一阵阵热油下锅的欢快与锅铲的撞击声，伴着饭菜诱人的香。

若素把车停在了小区外面，和我一路慢慢走进去。

走到我们家楼下的时候，她突然对我说："姐，妈今天大概要问那件事了。"

我的心咯噔一下。

系着碎花围裙的妈妈正在厨房里忙碌着，爸爸照旧陷在已经有些显旧的沙发里看新闻，若素一进屋就开始逮着爸爸各种撒娇调侃，我去给妈妈帮忙端菜。

妈妈没怎么搭理我，锅铲挥得震天响，自从我回来后，我们母女间似乎总有一层隐隐的隔阂，但没有一次，像这样明显。

我讨好地各种搭讪，心里不安。

妈妈是个火爆脾气，虽然年轻的时候也总是各种羡慕人家吐气如兰的女子，还给我和若素取了这样雅致的名字，但事实上，我们的童年，却一直是在妈妈的怒吼声中度过的。而爸爸属于话虽不多，但生起气来却异常认真的家长。

小时候我和若素因为各种原因挨过的男女混合双打难以数计。

但妈妈是个好妈妈，爸爸也是好爸爸，我和若素的成长，并没有因为父母的严厉而有所遗憾或缺失。我们的父母正义而热情，善良而勤劳，他们认真工作了一辈子，虽然只是不起眼的小人物，却保有着金子一样闪亮的自尊心。

四年前，妈妈经历了一场大手术后，她就收敛了很多脾气，像今天这样的气氛，显然是有大事。

我猜想妈妈一定是听到了什么不利流言，但我却不敢开口询问。

妈妈到底没能沉住气，突然把铲子一扔，把燃气啪地一关，转过来怒视着我。

我吓了一跳，心虚地低头。

若素听到异动立刻跑了过来，后面跟着爸爸。

妈妈冷笑一声。

“你们一个两个都长大了，再大的事也不要问妈妈的意见了。”

若素往妈妈身上粘去，小声音各种甜：“妈，说什么呢，我和姐都最听您的话了嘛。”一边说一边朝我挤眼。

我不知道怎么配合，从小我就比若素笨拙，也不会讨妈妈的欢心。

我试着也像若素一样去拉妈妈的手，却被她用力甩开。

“程安之！我从小怎么教育你的？人活得要有自尊有原则！那男人在老婆怀着孩子的时候就在外面乱来，屡教不改，孩子才两岁就离婚，这样的人，你是瞎了还是聋了，要找这样的男人？！”

我张着嘴呆在当场。

我不知道，原来封信的那段“履历”被人说出来，是如此不堪。

或者是因为我爱他，我信他，当我知道这些的时候，我心里早已笃定那不是真相。

他不是那样的人。

但是我却忘了，如果这流言的主角是他人，我也早和妈妈一样愤而怒斥。

我终于明白每次若素的欲言又止。

妈妈的怒火一发不可收拾：“你是看上他有钱？去了香港几年，你回来就这样道德败坏眼里只有钱？”

“我做手术那年，你在香港和谁同居？也是有钱人？”

“我怎么会教出你这么个没脸的东西！怪不得回来以后都不肯在家住……”

一声一声恶毒的攻击像重锤一样击向我，我只能呆呆地看着妈妈，心里一片迟钝的空茫。

我不知道原来她的心里，积压了那么多对我的怨。

我永远也没有办法告诉她，去了香港的第二个学期，我生了一场大病，一个月无法起床，因而失去了第二年的奖学金。

而此时C城传来消息，妈妈因为体检时发现乳腺癌，要立刻手术。

妈妈手术的时候，我在彦一家打工，给得了抑郁症的彦一少爷做牛做马，只为赚得那份不错收入，不让家人发现我的困窘，不必在妈妈的手术费用后期药费外还要腾挪着为我支出，为我担心。

妈妈的手术很成功，我在外多年，也未伸手问家里要一分钱，但所有人，都以为那是我去时第一年就定下的美事，而后来的许多年，我都逍遥快活。

远离至亲，已是不孝，我怎能再让父母愧疚。

我却不知，那一年的不归，会是妈妈心里永远的痛。

那一次手机落在彦一家被他接起，更让妈妈误会为我不归的原因是在那边和人恋爱同居因此乐不思蜀。

我知她疑心，但她不问，我也无从解释，自此百口莫辩。

只能沉默。

这世间沉默的人往往知道真相，但却不是所有真相都可以言说。

我只是伤心我的妈妈，从小看我长大，却这般不信我。

晚饭也没吃成就不欢而散，回去的路上若素开着车异常沉默。

我也不想说话，硬生生地把眼泪往肚里逼。

半路接上了加班后的何欢，何大律师接替若素开车，若素挪到后座和我并排坐。

她小心地察看我的脸色，似乎想说什么，但又犹豫。

直至送我到家，下车前一刻，她才下定决心似的说："姐……我觉得，你要不还是重新考虑一下吧……我听说封信的前妻还经常带着小孩去医馆找他，两人是不是余情未了啊……而且上次你不是也说见到他的时候他在酒吧和不正经的女人勾搭……"

我还没回应，何欢却突然一声低斥："小素，不要乱说。"

我们俩都吓了一跳，尤其是若素，大概很少被何欢斥责，立时表情就不对了。

何欢严肃地说："封信不是那样的人。"

不知道为什么，妈妈骂我的时候，我没有哭；爸爸不帮我说话的时候，我没有哭；若素也怨我的时候，我没有哭。

但何欢这一句，却让我的眼泪，如滂沱的大雨，瞬间倾盆。

封信，你不是孤独的。

你看，这世间还有一人，信你如我。

## 26. 安老师是狐狸精！

上午一边有一搭没一搭地在微信上和封信医馆的护士小岑聊天，一边把年前的工作做最后收尾。

自从去了几次医馆后，我和那些老医生和小护士的关系陡然亲近了起来。

我自认为一向是脾气比较好被拿捏的那种人，对谁都端着一脸笑总是没错，他们忙的时候我就主动安抚病人，他们闲的时候我就上前端茶送水，偶尔加入八卦唠磕。

很快大家对我的印象就从对“个性不可预测的未来老板娘”角色的提防敌视，转变成了对“缺心眼肯定会吃亏的傻大妞”的同情，一时间我的处境顿时春暖花开。

而小岑也变成了我最积极的“内线”，每天和打了鸡血一样给我发封信的状态播报，再加上个人激情点评，各种夸张花痴常常让我笑得内伤。

其实我知道，小岑最近最大的心愿，就是希望封信的前妻能够如以前一样带着孩子出现在医馆探视，然后她就好立刻通知我前去短兵相接仇人相见。

“早就看不惯她那一脸谁都是她孙子的嚣张了！离婚了就是路人，还摆什么夫人架子！”她愤愤地说。

但她不知道，我无意如此。

我其实不太知道怎么阻止人类对于无事生非的热爱，但幸运的是，最近封信的前妻却一直没有再出现过。

下午的时候不常出现的老板突然大驾光临，紧急召开几个高管开了个会。

出来后主任把我叫到办公室，笑眯眯地握着我的手恭喜我，说韩国那边给了一个很好的机会，让我们这边派个人过去学习一年，费用全部由公司出。经过决定，这个机会给我了，过完年后就要我直飞韩国。

我一下子没反应过来。

公费出国学习一年，确实是很好的机会，但是被委派得如此急，事先没有半点迹象，也不曾征询过我的意见，让我本能地觉得蹊跷。

我问主任我能不能考虑下，五十多岁的主任脸一下就拉了下来，冷笑一声说："如果不去，就按不服从公司安排，做自动离职处理。"

我回到座位上还在发呆，早教中心琴姐的电话又来了。

电话里琴姐支支吾吾，说了半天，我才听明白，是要我不要去上明天的课了，以后也不用去了。

几个小时内一连串的变故，让我不知所措。

我让孙婷帮我去高层那边打听下到底是什么情况，想了想，琴姐之前对我还是很不错的，或许电话里是有什么难处，于是我请了个假，打了个车就赶去了早教中心。

到了早教中心的时候是下午四点，正好遇上下课，不少家长和孩子都在休闲游乐区玩耍，人特别多。

我打算在办公室等一下琴姐，正低头侧身让一对准备出门的母女时，突然听到一个似曾相识的声音，带着冰冷的刻意拖长的尾音，让我不自觉地一颤。

"圈圈，你看这是谁啊？"

我怔住，发现站在我面前的，竟然是小圈圈母女。

圈圈今天穿了件雪白羊毛小裙子和玫瑰色短款羽绒服，此刻正在换鞋处给自己的小脚穿上棕色牛皮小靴子。

她真是一个漂亮的小姑娘，但是此刻她抬头看我的眼神里，却充满了那么多原本不该属于她这个年纪的丰富波动。

先是惊喜，瞬间变成了迷茫，而后又渐渐凝成一种怀疑，最后竟然看出了狡诈与恨意。

我从不知道那如澄澈天空般的孩子的眼睛里，竟然可以如沙漠极光般变幻出如此多的颜色，一时间竟忘了打招呼，甚至没有注意到站在她身边的充满恨怨表情的姚姚。

还是姚姚的声音把我拉回了现实。

“圈圈，你是不是认识这个阿姨？”傲慢而尖锐的语声，像把脖子尽量高高昂起的鹤，明白表现的意图就是攻击。

我只是有些装傻，但并不真傻，此刻当然笑不出来。

只是有满肚子的疑问，一个都不能解开。

琴姐的身影一闪，已经径直冲到了我们的面前，她背对着姚姚，却是面对着我，一脸的冷若冰霜。

“程小姐，你怎么又来了？这里不欢迎你。”

我使劲地眨巴了几下眼睛，觉得整个世界都魔幻了。

不过一天的时间，就好像触动了某个魔法开关，一切都变得不在本位。

那么奇怪。

一声响亮而撕心的哭泣如利剑般在猝不及防间刺入我的心脏。

圈圈扑在我的身上，不是要像往常一样亲热地拥抱我，而是像只受伤的小兽一样对我又踢又打。

“安老师是大坏蛋，安老师是狐狸精，安老师不要缠着我爸爸……呜呜呜……圈圈想要爸爸回家，圈圈想要爸爸……”

我震惊到眼见周围迅速围满了老师家长和孩子，却无法改变一下自己的表情做出任何一个字的回应。

我至少从看客的反应里读懂，这是多好的一出戏。

“看不出安老师居然是这种人。”

“能来上早教的家里条件都不错，这些年轻老师指不定专门盯上这些孩子的爸爸呢。”

“太可怕了！”

“贱货！真不要脸啊！”

……

年轻的幼教老师是狐狸精，勾引了四岁孩子的爸爸，孩子肝肠寸断地求公道。

唯一的问题是，孩子的爸爸是哪路神仙?

我简直想笑起来，但耳朵却嗡嗡作响分外难受。

圈圈的哭喊声仿佛是训练有素般，越来越凄厉，越来越离谱。

我试图蹲下身抱住她问个清楚，却被她一靴子打在脸上，眼冒金星。

依稀间，竟听得围观人群中一声叫好。

之前看过一些民生新闻，心知此刻若是有人冲上来扒光我的衣服，踩上一只脚，吐上几口唾沫，恐怕也不会有人劝阻。

路人只求所谓正义，但是时间太紧无法让他们判断这正义的真假。

都先举刀再说。

我终于怒从心底起，一把捉住那孩子的两只手，任她对我疯狂踢打也不放开，我用尽全力控制着我颤抖的声音，朝圈圈大声喊道："圈圈！你爸爸是谁？！"

我原没有指望孩子的疯狂能够停止，但是奇迹发生了，我的声音刚落，孩子所有的动作突然定格了。

天真的小脸蛋上还挂着晶莹的泪珠，抽泣的声音还在隐隐翻滚。

但是，四岁的孩子突然定定地看住我，像看着动画片里的大恶魔，那么恨，那么坚定。

她一口口水猛地吐到我的脸上！

"我叫封圈圈，我爸爸叫封信！"

我不知道我是怎么离开那个地狱般的场景的。

我隐隐地感觉有人在拉着我走。

而我就机械地跟着走。

我以为我能再坚强一点，把事情说清楚，但是我原来不能。

我的表现已经在听到"封信"那个名字的时候，暴露无遗地向围观群众证明了圈圈控诉的所有。

我如五雷轰顶般瞬间摇摇欲坠，整个世界一片漆黑。

是封信。

圈圈的爸爸，竟然是封信。

我抢了她的爸爸。

我就是那个大反派。

我活该被这么多人围观羞辱，我是个万恶的第三者。

我原以为这是一场可笑的闹剧，但是，那个名字，真的与我有关。

只是这关系，又怎是三言两语，能够辩白。

我原来如此软弱，我连理直气壮地替封信替自己申辩一声，都没能做到。

自始至终，姚姚都仿佛只是个引火者，她只出动了她的孩子，就已经让我万劫不复。

命运早已安排我们相遇。

命运之湖的黑色水面上，爱情之花如耀眼白莲倔强开放，而它的下面，凌厉暗流汹涌。

终于清醒一点的时候，我发现我坐在一家街边的小咖啡店里，正关心地看着我的那个人，竟然是唐嫣嫣。

唐嫣嫣已经结婚了，就在上个月，我参加了她的婚礼。

婚礼一切美满，唯一的插曲就是陪唐嫣嫣去酒店房间换敬酒装的时候，她关上门就一屁股坐在窗边，还穿着层层叠叠的雪白婚纱，就毫不迟疑地猛吸了一口烟。

我大概能了解她心里的苦闷，现实不如想象，但说穿又有何意义。

后来我们没有再单独出来见过面，我迟钝地想，她为什么会在这里呢？

唐嫣嫣仿佛看穿了我的疑惑，叹着气对我说："我今天刚好陪我嫂子带她的小孩去上早教，没想到看到你被人围攻。"

她似乎有点不忍说下去，含糊带过。

但我自然知道，她是指看到我竟然作为一个"第三者"在大庭广众下被一个孩子打，被那么多人围观唾弃。

如果我妈知道这一幕，大概会直接烧死我。

我哈哈哈笑出声来，声音扭曲。

她吓了一跳，以为我疯了，伸手摸了下我的额头。

"那个小孩子的爸爸……是封信？"

是啊，是封信。

世间很少重合的一个名字，她亦是聪明人，知道没有这样的巧合。

圈圈的爸爸，就是我们年少时都共同深爱过的那个少年。

他闪闪发光，却全身是伤。

我继续笑着，却发现唐嫣嫣大把地抽出纸巾塞给我，这才发现，脸上的眼泪越流越多。

心里好像有什么东西堵着，连呼吸也不能顺畅，恨不得把心挖出来，放在外面透透气。

但我需要的是一个清醒的方法，而不是情绪的胡乱宣泄。

心里有个声音在拼命地大喊：程安之！醒过来！程安之！想清楚！

但我发现无论如何用力，那时那刻，我什么都想不清楚，我只想哭泣，只想崩溃，只想倾诉。

以至于我对面坐的是谁，都不再重要。

我哭着说了太久太久，连唐嫣嫣渐渐飘移的眼神，都没有注意到。

## 27. 他从远方赶来，赴我一面之约

那天晚上，我昏昏沉沉发起了高烧，七春几次想打电话给封信，都被我以死要挟劝住了。

她只好坐在我的床边不停地骂我，骂一会儿，给我换一次冰毛巾。

我发现七春的骂，可以让我获得平静和安宁，我听着她的声音，感觉自己尚在人间，那些涣散了的神志，就一点一点又自己找回身体里来了。

到早上的时候，我退烧了。

照顾了我一夜的七春倒在床上呼呼大睡，我轻轻爬起来，对着镜子里那个脸色苍白的自己扯了扯嘴角，发现自己又能微笑了。

昨天的一切已经过去了，而明天还在继续。

我忍着身体的不适，做了点早餐，自己吃了一份，给七春留了一份，然后按时打车去公司。

打开电脑，开始写辞呈。

我已经清醒下来，主意已定，不再慌张。

就像多年前封信离校的那一刻一样。

我心知自己的方向。

我原来一直觉得，这个世界充满了幻象，也充满了无数的诱惑，而不够聪明的人，总是患得患失，最后一无所有。

所以我常常会觉得失落，觉得自己那么微小，什么都想要，却总做不成任何一件漂亮的事情。

后来遇见了封信，我想，这一生，我就选择只做这一件事情吧。

不后退、不动摇、不犹豫地爱他。

这么决定以后的许多年，我发现，所有的事情都变得简单了，面对选择的时候，我总能一秒钟轻松作答。

就如此刻，当我明白这一切变故的真相，不过是让我离开封信，我就再不需要有半分犹豫。

我不会离开，从不。

主任接到我的辞呈时有些意外，但明显松了一口气，态度也变得客气起来。

毕竟我是总部那边推荐过来的人，而施压方显然也是权贵，得罪哪方都不太好，我自己愿意退出，如此识相，便是对她的成全。

我笑笑，开始走各种交接程序，幸好上一阶段工作正好已经收尾，对其他同事的工作不会造成太大影响。

一起共事虽不久但也有了感情的同事们不明真相，只纷纷对我发出不舍的叹息，而孙婷却一把抓着我的手，把我拖到了公司顶层的天台上。

天台上风很大，胡乱堆着一些杂物，地面上还散落着不少烟头，看来是这栋楼里各公司员工午间休闲的场所。

平日里我从来没有上来过，没想到第一次上来，却是告别。

我裹紧了一下围巾，对孙婷说："好冷，亲姐姐，有话快说。"

孙婷不知是生气还是冷的，脸蛋通红。

我似乎都看到她的眼睛里有眼泪在打转了，这让我心里也难受起来。

她咬着嘴唇跺脚："没想到你会遇上这种人！我打听过了，那女人可不是好惹的，她爸很有来头，她自己也有不少关系，之前封医生相过几次亲，都被她轻易搅黄了。真不知道她安的是什么心，都已经离婚了，干吗死缠着不放，就是不让人好过！"

我默然，孙婷这一晚上收集的信息量还真不小，不愧是公司里出了名的"灵通小公主”。

孙婷继续发泄：“老板也真不是东西，我早看出来了，为了点银行贷款就把你卖了！你也傻，干吗不同意去韩国呢，干吗要辞职呢？”

我揉揉自己被风吹得有点麻木的脸，觉得眩晕感又加重了。

我说：“亲姐姐，其实是我自己得了个机会，在家接单赚大钱，机不可失失不再来，我只好当机立断。”

她半信半疑：“不会吧？”

我认真地点头：“是真的，有家大出版社约我给他们做一组原创儿童绘本，一共十二本，足够我做上两年了，价钱也合适。”

这个机会其实之前我有过犹豫，我已经很久不画画了，深究起来，那原因还是源于当年漫画本丢失事件。

但是现在，我挺想画的，我自己在这个行业也做了几年，对市场和策划都有一定把握，对方也对我的试作和策划案非常认同，双方一拍即合。

正好下定决心。

孙婷这才放心下来，小眼泪一收，换上了欢喜表情。

“你和封医生一定要好好在一起！气死那个恶毒女人！”她用力在胸前握拳，像卡通片里的小动物。

我笑了起来。

临下楼的时候，她又想起了什么，突然对我说：“对了，我后来跟我那些朋友打听过了，那天晚上我们在暗夜酒吧遇到封医生想和那个烂女人走，是第一次！我朋友是那里的酒保，他说封医生以前就常去，但都是一个人喝酒，谁搭讪也不理，那天不知道中了什么邪。”

她看了看我的脸色，再次小小握拳：“封医生很好的！你要相信他！”

我也学她的样子，夸张用力地点头。

其实酒吧也好，姚姚也好，圈圈也好，那些，都不是问题。

我唯一担心的问题，只是封信。

他是一个对自身要求极高，道德感极强，过于自苦的人。

封寻的死，已经让他封闭了多年，几乎改变了他的人生。如果我继续留在这里工作，给姚姚再一次打击或挑唆的机会，我并不害怕，但封信知道，一定会内疚。

我怕他会放弃我，就像放弃以前的每一次相亲。

所以我必须离开，选择一份不会被姚姚威胁打扰的工作和生活，我要保护好自己，我要像一朵健康的花儿一样开放在封信的周围，只有这样，他才能够没有压力地爱上我。

我要他爱上我，因为我终于开始担心其他人不够懂他信他，不能给他幸福快乐。

直到这些天事情一件接一件地发生，我才知道，这些年，他已经一个人难过了这么久，这么久。

如果我遭遇的难堪是一，那他所遭遇过的，一定是十。

所以，我也许不够好，但我再也不会放开手。

回到住处没看到七春，我又测了下体温发现有些反复，于是吃了些药又昏昏沉沉睡了一觉。

再醒时已是晚上八点多，肚子饿得叫了起来，我看了一下手机没有未接来电，决定先下楼去找家小店吃点东西。

吃完东西后精神好了很多，我拿出手机琢磨着给封信打个电话。刚出电梯，手机还未接通，就蓦然见到门口的黑暗里站着一个人，而感应灯竟然也未亮起，吓得我惊叫出声。

只惊叫了半句，就被一个似曾相识的气息给完全笼罩，黑暗里，颀长消瘦的身影把我紧紧抱住，任我如何惊恐地挣扎，都霸道地丝毫不放。

不知道为什么，我一瞬间就想到了是谁。

但是，我却不敢相信。

我使出吃奶的劲沉默地又掐又推，终于把那人推开了半尺的距离。

借着手机屏幕的微光，一张苍白而精致的面孔浮现在我面前，薄薄的嘴角勾起明显不满的怨怒。

像个美丽的鬼魂。

他一向我行我素，喜欢怎样就怎样，异常讨厌自己的举止受到阻碍。

像个无理的小孩，不愿长大活在孤独城堡里的小孩。

我简直不知道说什么好，只会呆呆地看着他，过了几秒，才从牙缝里挤出一句：“彦一，你找死啊。”

我从来没有想到过我们真的会再见面。

但我还是偷偷在脑海里幻想过重遇的画面。

也许我们会流泪，也许我们互不相认，也许……他已经不在人间。

我们可以说“好久不见”，也可以说“别来无恙”，但没有想到，会是这句“你找死啊”。

重见的震惊与尴尬都在这句脱口而出的句子后变得自然，我叹着气打开门把他推进去。屋里仍然一片漆黑，我按了一下墙上的开关，瞬间灯光满室，七春还没有回来。

我倒了杯热水回到客厅的时候，就看到彦一像只黑猫一样蜷在那个不大的沙发里，六头吊灯发出的光已经很暖，但他却像灯下的一片阴影，除了那张白得过分的脸，全身上下几乎都被黑色的布料所笼罩。

漂亮得像个少女般的面上很少有表情，但是看人的时候，会像不知如何躲避一样直视，目光冰冷空洞毫无生气，强烈的对比会让人不自觉地心头一凛。

和我第一次见到他的样子，真是一模一样。

我把热水放在他的面前，坐在他对面打量他，他并不说话。一直以来都是这样，不是必要开口，他几乎整天都在沉默，我也早已习惯。

他也沉默地打量我。

与他的目光接触，我终于发现还是有一些不同。

他的眼睛里，那些深黑色的光芒，不再是一团死气，而是隐隐流动着某些内容。

虽然我不知道那是什么，但这对他来说，肯定是好事。

虽然已经比我想象中好太多，但与普通的二十出头的大男孩比，仍然是病态得让人难过。

我靠近一点，拉了拉他缩在袖子里的手，那手是意料之中的冰凉，比我这个刚刚从外面回来的病人还要凉。

我把桌上的热水杯塞在他的手里。

他顺从地接受。

直到此刻，我才相信彦一是真的坐在我的面前，而不是一个幻觉。

我不知道他是怎么来的，他病得最严重的时候，甚至不能乘坐任何公共交通工具，抑郁症和焦虑症同时在他的身上发作，他还明显表现出幽闭恐惧和广场恐惧。

所有人都一度相信，彦一永远不能恢复健康，彦一永远不可能离开那个小岛。

但是现在，他来了。

我轻声问他：“你怎么来的？”

我都不用问他怎么找到我的，他的父亲和小叔在两地都有着广泛的人脉，生意做得很大，只要他需要，他就能知道。

他眨了一下眼睛，慢吞吞地开口说：“跟小叔过来谈生意。”

他的声音低而轻，像是随时会消散在空气里的音韵，带着记忆里特有的一字一句的认真与清晰。

我莫名地高兴了起来，他已经能够跟着彦景城出来走动，而且是到这么远的城市，看上去一切平安，这说明他的情况比我想象中还要好。

一直提心吊胆的事情终于放下，这几个月，我怎么可能不牵挂他。

我的表情大概泄露了自己的心思，喜色浮于面上，一直认真地盯着我的彦一，也微微弯了弯嘴角。

“我饿了。”他突然对我说。

我赶快起身去翻冰箱，给他做吃的。

冰箱里没什么存货，我给他做了个简单的蛋炒饭，他慢慢地吃了半碗。

他的表情在灯下变得柔和而安宁。

我看他低垂着睫毛，疲惫浮现在他微青的眼眶，我猜他下了飞机后并没有休息。

我问他住在哪里，他说了个酒店的名字。

正说着他的手机响了起来，我饶有兴趣地看他接电话。

以前，他甚至都拒绝使用手机，因为他非常讨厌突然响起的铃声或振动，也讨厌轻易被人找到。

有一次，我的手机遗落在他家，我妈正好来电话，手机突然一响，他先是惊吓，接着大怒，接起电话就骂了句脏话。

其后果就是，我妈以为我跟一个没素质的男人同居，我百口莫辩，那部可怜的手机还被彦一少爷扔在地上摔了个稀烂——虽然最后他的小叔彦景城赔了我一部新款。

很多很多相处的小事一瞬间掠过脑海。

那些已经远离了我的，却仍然鲜活着的记忆。

彦一安静地听着电话里的声音，从头到尾，就嗯了一声，然后挂了电话。

他抬头看我，然后站起身来。

“我要回了，小叔在等我。”他说。

我说好，我送你。

我们沉默着下楼，我陪他走出小区。

我们从头到尾没有几句对话，彦一活在他自己的世界里，他根本不需要那些客套的寒暄，在陪伴他的那三年里，我们的相处模式大多就是如此，彼此都很了解。

他走在左边，我走在他的右边，小区里的路灯有几盏坏了，光线昏暗，我带着他绕来绕去。

他突然伸过手来，抓住我的左手。

他低声说：“那时候，我们也在花园里走。”

我怔了一下，才知道他是指当年我刚住进他家的时候。

那时他一夜一夜地失眠，狂躁，用尽办法偷来更多的药来吃。我震惊于他的病态，主动提出晚上他无法入睡的时候陪他去花园里走路。

他家的花园很大，附近不远处就是海，夜静之时，听得到潮声。

我们沉默着，什么也不交谈，一圈一圈地绕着花园走，走完一圈，二十分钟，再走一圈，二十分钟，累了，就在边上的石径上坐一坐。

他总是拉着我的手，我知道他是怕黑，但我不说。

他只比我小一岁，但那时，他在我心里，就是个小孩子。有着成人的外表，却一直活在自己童年的阴影里，再也不愿长大的小孩子。

我一边走一边不时抬头看星星，看云，看天空，想着自己的心事。

我不知道彦一是不是也在想心事，我也不问他，我们只是一起走。

有一次我陪着他走到天亮。

他后来偶尔还是要靠安眠药入睡，但多数时间，每晚已经能勉强睡上几个小时。

想到这里，我问他：“现在睡得如何？”

他点一下头，也不回答。

前方的路渐渐亮了起来，接近小区出口，外面就是灯火流金车水马龙的大街，虽然已经过了晚上十点，但城市的夜生活才刚刚开始。

彦一顿住了脚步。

他伸手指了一下，我这才发现出口靠边的地方停了一辆黑色的轿车，很低调但奢华的牌子，是彦景城一向的风格。

彦一示意我不再走过去。

我这才明白一直有车在等他。

“安之。”他叫我。

“安之姐。”我纠正他。

也是提醒。

他慢慢地摇一摇头，伸手扳过我的肩，要我正对着他。

他的个头比我高不少，看我的时候，要微微低头。

我有些不安于这样的距离与姿势，试图微微挣脱，却被他抓得更紧。

这让我无法自抑地惊惶起来。

恐惧的记忆之门打开，黑色的碎片像焚烧后扬起的灰，一点点粘上人的肌肤。

被我刻意忘记的，被我努力原谅的，都从心底的泥潭里翻搅出来，带着混浊感，上涌，上涌。

我紧咬嘴唇，僵硬不动。

只怕自己一动，就会做出失控的举止，将面前的人推入深渊。

他的声音，带着一种细碎的空灵感，又带着我所不熟悉的孤注一掷的狠厉与脆弱，轻轻飘散在空气里。

“安之，不要拒绝我。”

“我那么努力，以为自己快要死掉……才终于，走到了这里。”

## 28. 他已狠狠夺去我最后一丝呼吸

我目送着那辆黑色的轿车缓缓驶出小区，远远地，看见副驾上有个人摇下了车窗对我挥了挥手，似乎是彦景城。

我心绪纷乱，忽冷忽热的感觉又占据了身体和大脑，不用体温计，也知道发烧又反复了。

临近午夜的空气里，月色与不开花的树木一样清冷沉默，有不知名的小虫哀哀一叫，转眼又消失了声息。

一天中发生了太多事情，让我感到疲惫和无助。

我晃晃悠悠地踱到小区的人工凉亭里，凉亭里还留着打纸牌的老人们遗留的几张报纸和几堆瓜子壳，仿佛听得见早起的清洁工发出徒劳的抱怨声。

我倚着一根柱子坐下，手掌触过的地方，感觉到朱红的油漆斑驳。

我怔怔地想起一件事。

我和封信一天都没有联系了。

这有些反常。

他是个清冷克制的人，我也不敢像个不知节制的少女般死死缠住他的每分每秒，但是自从我们确定了恋爱关系以来，即使当天不见面，我们每天也至少会来往几条短信。

他会提醒我吃饭，加衣，会对我说晚安，有时候，还会回应我的冷笑话。

不管他发来的是一个表情还是最简单的文字，都会让我觉得安心。

这样的安心，只有他能够给我。

但是我突然想到，如果姚姚已经知道了我是封信的新女友，也已经开始了对我的打击报复，她没有理由不把这个消息通知给封信知道。

事实上，我没有谈过一次恋爱。

我不太清楚各种复杂的纠葛形成的原因，我只知道，如果一个人一直在用危险的方式破坏和打击着另一个人，那一定已经不是爱。

在我心里，爱应该是温暖的、积极的、让人安心愉悦的事情。

而姚姚，她做这一切，是不是只是想让封信痛苦和难过?

这是很多人的选择，宁愿刻下痛苦，也要证明来过。

假设封信如果已经知道了姚姚和我在早教中心遇到的事，也一定知道了我辞职的事。

以他的个性，他会怎么做?

他也许会离开和放弃，如果他觉得那是对我最安全的方式，他就会那么做。

我猛地站了起来，一瞬间出了满身冷汗，连昏沉疼痛的大脑也似乎清醒了不少。

铺天盖地而来的虚弱感使我又颓然地坐下。

我掏出手机发短信。

“封信。”

“我在。”

短信发送成功后的只有几秒，他的回复就翩然而至。

我意外地看着那两个字，鼻子一酸，止都止不住的眼泪上涌。

我在，我在。

他就是我的魔法师，我的救世主，他微微一笑，就能拯救我的整个世界。

我一边掉眼泪一边打字：

“你在哪里？”

过了十秒他的消息发来：

“你相信魔法吗？”

我愣住。

手机又振动了一下。

“如果你现在抬起头来，看向你面前五米的地方，你就能得到上一个问题的答案。”

我机械地张着嘴，举着手机，像个傻瓜一样缓慢地抬起头来。

只有微光，但足够看清那人。

没有五米。

大概，只有三米，两米。

因为，他走向我。

那男人，披着午夜的月色，任再多黑暗，也不能阻挡他的光华。

他的目光那么沉静，那么深邃，修长的身形，镇定的气质，如最俊美的神祇，带来最仁慈的福音。

他总是让我意外，但他从不让我失望。

从少年时代起，他就是纯美的杏花春雨，犀利的东风破晓，宁静的光芒万丈。

我泪眼婆娑，如定身一般，不能动弹。我无法形容那一刻的心情，我想再也不会有一个人，能够带给我这样的震撼与美妙，他甚至让我感觉灵魂在飞、在唱。

他站到我的面前，因为我坐着，所以他抬起手来，似乎想摸一下我的头发。

我仰起头伸出手抓住他的一根手指，仿佛最默契的舞蹈，借着他的力量一带，整个人直接扑进了他的怀里，紧紧地、紧紧地抱住他。

我什么都不烦恼了，什么都不害怕了。

这几天经历的所有的顾虑、所有的疼痛、所有的羞辱，这一刻在爱他的心面前，都是笑话。

不知时间过去了多久，在他稳稳的怀抱里，我感到了放松和平静。

我把头埋在他的胸前，额头靠着他的衣领，羊毛呢的质感传来柔软与温暖，我双手搂紧他，感觉到他厚实的衣下劲瘦的腰身，一时间心如擂鼓。

我低声问他：“你怎么来了？”

他沉默了两秒，答：“我来了很久。”

我傻傻地把头抬起来，额头蹭到了他的下巴，又慌忙地埋下头去。

他似乎轻轻笑了一声，感觉上做了一个抬腕的动作：“准确地说，我已经来了四个小时零六分钟。”

我反应特别迟钝地推想，那不是我第一次醒来下楼吃东西的时候，他就来了。

可是，他在哪里呢，也没有打我电话，也没有上楼找我。

我心里想着，就这样问了：

“这么长时间你在做什么？”

“嗯。”他说，“好像，就是走过来，走过去吧。幸好这个小区的保安不那么负责，都没有人过来盘问我。”

我想起上次自己到他的小区去当蘑菇蹲点的事。

“那你干吗不打我电话？”我还是不明白。

“我在想事。”他转了一下身体的角度，从容优雅地在我刚才坐过的地方坐下，又非常自然地把我拉回怀里，坐在他的腿上。

这个姿势更加暧昧，我伏在他的肩上，气都不敢大喘。

枯草里的虫鸣都彻底消失，整个世界只剩下我的心跳声，万物皆屏息。

“我在问自己，该继续抓紧你，还是该……”他缓缓地顿了一下，后面的词语，似乎消失在胸腔里，低不可闻。

我猛地伸出一只手，手掌慌乱而焦灼地覆上他的嘴唇。

我也不知道为什么会做出这个动作，掌心里传来柔软而温暖的特殊触感，我们的目光在那么近的距离相遇，我却看不懂他目光里浓缩的含义。

只有片刻，我感觉他搂着我的手缓缓加重了力度，而另一只手，将我抬起的手腕抓住，毫无预兆地，他低下头，轻轻吻了一下我的掌心。

我的脑袋轰一下，几乎整个人瘫倒在他怀里。

“后来，我看到你送一个男孩子出来。”他目光炯炯看定我，微弱的气息拂过我的脸颊，所过之处就如野火燎原。

我魂飞天外地想，他的睫毛真是比任何一个姑娘更好看啊。

但是，等等，他说什么？男孩子？他是说彦一？他看到了我送彦一出来？

还有彦一对我的那些在常人看来一定感觉暧昧的举动。

他难道，是在暗示，我红杏出墙？

我瞬间从花痴状态被一记闷雷劈醒。

“是彦一……”我结结巴巴，不知道怎么解释，情急之下，简直要哭出来了。

“哦，你在香港照顾过的病人。”他果然记性很好。

我忙不迭地点头。

封信突然长长地叹了一口气。

我一下慌了神。

但是接下来，他突然站了起来，却又背对着我，蹲下身来。

“我背你。”他回头朝我微微一笑。

这样的场景，似曾相识。

多年前，伤了脚的少女，轻盈地伏在心仪少年的背上。只能作为陪衬的我，一路跟随，深一脚浅一脚。

月光那么明亮，而我小小的心，那么不安又忧伤。

而今，少年长成了出色的男人。

我顺从地闭上眼睛，伏在他的背上。

他轻松地站了起来。

我把脸贴在他的肩头，轻轻搂住他的脖子。

他已经大步朝着小区深处走去。

封信轻轻把我放在自己的床上时，我仍然没有出声。

圆梦的感觉太好，简直让人不能醒来。

他给我倒了杯热水，示意我喝下，然后让我侧躺着。

整个过程我都像个布娃娃一样任他摆布，在他身边，我感到安全，感到舒适，感到每一分钟，都是天荒地老。

直到感觉到背上某处传来手指的强力按压感，我才意识到封信在做什么。

“今晚睡一晚，明早我会要小岑把熬好的药送来。”他简单地说。

我想起以前似乎听说过，中医可以通过穴位的按摩达到退烧的效果。

看来我身体的异常并没有逃脱专业的封医生的眼睛。

“我……”我好多话想和他说。

他突然轻轻敲了一下我的后脑勺。

“安静地休息，你在挑战一个医生的权威，他会生气。”

我乖乖地闭嘴，在他沉稳有力充满节奏感的按压下，渐渐昏沉。

“不要担心我会误会。”他突然低声而缓慢地说。

我一怔，明白过来他是指彦一。

他居然知道我在担心他误会。

“其实我要谢谢他，看到他牵着你的手，我才明白……什么是妒忌。”

“原来我也会那么妒忌，那么患得患失，那么不敢想象……”

“安之，我已经没有选择。”

我不敢相信自己听到了什么。

他的声音，低沉而略为模糊，有些关键词语，甚至简单带过。

但是，我都听懂了。

我听得整颗心都揪起来，颤起来，沸腾起来，以至于整个人，都快要炸开。

如果我的理解能力没有出错，他是在说，他爱上了我。

他爱上了我，所以他没有了选择，尽管他开始还在犹豫该抓紧我还是该放弃。

在爱的人，没有后退的选择。

我深吸一口气。

用尽全身力气，突然翻过身来，面对着封信。

“封信。”

我低低地唤了他一声，伸出双手，搂住他的脖子，将他的脸拉近我，闭着眼睛笨拙地将嘴唇贴上去。

我慌张地、一心一意地循着本能触碰着他的嘴唇，感觉到我的脸颊火热和他的嘴角微凉。

惊心动魄的触觉，几乎让心脏如漫天烟火般爆炸。

我死死地闭着眼睛，全身麻木僵硬，不敢看他的脸上表情。

不知摸索了几秒，突然，一股温柔而坚决的力道，将我毫不留情地反制。

我惊得一瞬间睁开眼，只依稀捕捉到他垂下的长睫如诗如梦，又慌乱地紧紧闭上。

燃烧般的攻城略地，他已狠狠夺去我最后一丝呼吸。

我如溺水般，无法挣扎，无法后退，只剩下手指软弱地抓紧他这样的本能。

他这样的人，一旦开始，就不会停止。

仿佛要窒息般的前一刻，我意识模糊地想，原来，这才是真正的封信。

我所没见过的封信。

也是，完美的封信。

# 第十章

## *Flower*·寂静

如果一个人，总是看不到太阳升起，看不到星星开花，也看不到麦田的颜色，那他唯一能做的，就是紧紧抓住手心里仅剩的暖意的东西。程安之，你对我而言，是生存，是活下去。

——彦一

## [楔子·白塔里的星星糖]

那是一座高高的白塔，建在蓝色大海的边上，窗口开满了紫色的爬藤蔷薇，金黄色的闪亮的宝石尖顶直指天空，不管是晴天还是暴风雨中看到那座塔，人们都会惊叹它的夺目漂亮。

很多人都以为那白塔里住着幸福的公主，其实他们不知道，那里面住着的，是一个小小的王子。

他的世界寂静无声，一整年一整年，他不和人说话，也听不见别人说的话。

他曾经以为自己会永远活在那座塔里。

其实，没有什么不好。他想。

如果世界同时毁灭，巨大的沙尘和石块还有金色火焰把白塔和里面的星星糖一起淹没、焚毁、掩盖，那就更好。

他这样想着，小小的面孔上露出天真又诡异的微笑。

*原来，这才是真正的封信。*

## 29. 像鬼魂一样美丽阴暗的少年

那是我一生中最惶恐无助的时刻，没有之一。

我摇摇晃晃地在街道上漫无目的地穿梭，一遍又一遍。

一个月前，一场查不出原因的持续午后低烧，突然降临在我的身上，连医生也一度失望，怀疑是免疫系统出了问题。

我不敢告之家人，只能自己苦挨，幸而一个月后，就在医生准备给我长期服用激素药时，症状竟然奇迹般消失了。

就像一场噩梦。

但是因为这场病，我失去了下一学期的奖学金，与此同时，家乡的若素打来电话，告之妈妈不久前单位体检被查出乳腺癌，幸而不是晚期，家人决定立刻做手术。

做手术的时间，正是我低烧不退的那段日子，家人想到临近大考，便一起瞒了我，直到手术成功。

我强忍悲伤，拼命地不许自己握着手机哭出声来。

那天我蒙着被子颤抖了一夜。

天微微亮起来的时候，我做了决定。

我已经自私地选择远离家乡，现在又怎么还有脸让他们替我担心。

我怎么还有脸问家人要下个学年的巨额学费。

我怎么能告诉他们，我已经连回去的机票钱都没有。

我怎能带着自己这样病后的面容身体，出现在他们面前，让妈妈更加担忧。

所有的苦，都是自己选择的，你选择了它，就应该独自咽下。

我拨通若素的电话，告诉她，我不能回去，我在这边，有个很好的机会提前实习。

这个暑假，我不回家。

那个夏天，我拖着虚弱的身体，在烈日下奔波。

品尝到什么叫绝望。

我无法获得正规的工作机会，也不能像本地学生一样申请信用贷款。

相熟的同学都不算至交，提供了几种方案都行不通后，也只能爱莫能助地摊手走开。

我找校方沟通，最后只得到延缓一个月交费的同情决议。

每一天天空星群亮起的时候，我都会细数着自己的一无所获，咬着牙对自己说，我再坚持一天，再坚持一天。

但是第二天，仍然只有绝望。

我是在盛夏的傍晚见到彦一的。

海边的白色建筑美丽夺目，纯黑的豪华轿车却闪着死亡的光呼啸着冲向我。

我失去了躲闪的能力，一切都在瞬间发生，画面却宛如慢镜头，我看到明澈的挡风玻璃上，映出海边火一样的夕阳，像要焚烧一切般热烈汹涌，而在那如魔法般绚烂的色彩后，浮现出一张惨白如同鬼魅的脸。

冰冷的、空洞的，如同面具一般的，美丽精致的少年的脸。

就在车头撞上我的身体的一瞬，我感觉它猛地转了方向，从我的身边斜掠而过，但我的身体仍然被狠狠地擦中，整个人甩倒在地。

依稀中，听到不远处传来惊心的撞击声。

我呆呆地看到一群男女冲向出事的车，车子撞上了巨大的墙，引擎盖已经严重变形，不知从哪里冒出浓烟。

我怀疑自己是在梦游。

我甚至没有察觉出自己腿上的剧痛感，整个人都只是木然地盯着那出事的车，驾车少年的脸和那带着死亡气息的目光，还有他这样决绝的求死行径，都无法真实。

都不知过了多久，一群人抬着担架匆匆冲过我的身边。

担架上的少年双目紧闭，额角的深红色血泉，像无法止住一般，一路滴落。

但他表情安详，宛若熟睡。

他死了？

我全身都发起抖来。

直到感觉有人在我面前弯下腰，浑浑噩噩间，看到一张年轻却沉稳的男人的脸。

那是我第一次见到彦景城。

他叫人把我一起带回了医院。

我多处软组织挫伤，手臂剐去一块皮肉，右腿骨裂。

虽然不是什么大伤，但彦家还是给了我最好的医护安排。

我进院后才知道，海边那巨大的白色建筑本就是私人医院。

我住在漂亮干净的单间病房里，脑袋却一片混乱，不知道怎么办才好。连着两天都没有任何人与我交流伤后的事宜，来换药的医生护士也只是例行公事，一个个口风极紧，我在她们嘴里连那个驾车少年的生死都问不出来，再加上学费的事尚未解决，腿一时半会儿还无法下地，简直郁闷得要抓狂。

第三天的时候，彦景城出现了。

那时我不知道他是彦一的小叔，只知道大家叫他彦先生。

我有点不好意思地和他打招呼，虽然是人家撞伤了我，但因为人家态度好，我就蔫得不行。

他拉开一个扶手椅坐下，从无框镜片后安静地打量我。

我不知道他是什么意思，也不知道如何开口，索性也打量起他。

那天他穿着一件银灰的衬衫，黑色的西裤。虽然是大热的天气，但他的领口袖口仍然扣紧，显得精致而一丝不苟，仿佛夏天在他的世界之外。修得短短的头发根根竖起，使他在儒雅中多了一点点隐约的强硬，但仔细看，那强硬感又似乎只是幻觉。

他长得不算很帅，可是看到他的人，大约都会有一种奇怪的信任感。

我正出神，对面的彦先生突然开口，声音温和："程小姐，你是C城人？"

我本能地"啊"了一声，点头。

没想到他会问我这一句。

他点点头，缓慢而轻柔地说："我想与你谈一桩生意。"

半个月后，我被获准可以下床走动。吃过早餐后，我慢慢地沿着墙，踱到走廊尽头的病房。

房门是乳白色的，光洁如新，门口坐着两个人，看到我，只飞快地抬了一下眼，并没有什么表情。

大概是彦景城交代过了，我是带着任务的特殊的人。

真像演电影，我自嘲地想。

那两人面前的小桌上放着两台打开的笔记本电脑，两人都紧盯着屏幕，屏幕里显示的是病房内的景象，他们就负责盯着一刻也不能出意外。

我也低头去看。

只看了一眼，我就怔住了。

房间里的一切比我住的那间豪华十倍，但是，这都无法吸引我的眼球。

那个少年出现的地方，大概所有的背景，都只能黯然失色。

哪怕此刻，他只是安静地躺在病床上打着点滴。

一尊美丽的石像，毫无生气，却触目惊心。

我想起彦景城对我简单说明的情况。

十八岁的彦一，患有严重的抑郁症，带自杀倾向。他是被强制入院的，因此随时都有可能自残或逃跑。

而彦景城选中我最重要的一点就是，我是C城人。

彦一就在C城长大。

他十二岁才被父亲带来香港。

他想家。

我看着那个一动不动的身影，内心突然涌出了一股强烈的冲动。

我想见见他，如果可以，想和他说说话。

想告诉他，我明白他的感觉，我也想家。

我推门而入。

绿色的窗帘隔绝了窗外的酷暑，空调带来的恒温感和桌上的绿色植物使人感觉如在春天。

我慢慢地走到彦一的床边，突然发现他的眼睛是睁开的。

我吓了一跳，但随即发现他并没有在看我，他只是木然地盯着天花板，深黑的瞳孔里，甚至看不到一丝波动的微光。

我站在床边仔细地看他。

他的皮肤非常白，白得让人有一种接近透明的错觉；睫毛长而卷曲，覆着毫无生气的大眼睛；俊秀挺拔的鼻梁是五官里唯一不那么阴柔的部分；淡色的唇有些失神般微张着，露出一线洁白的牙齿。

他真的长得很漂亮。

漂亮得像个橱窗娃娃。

一个长得这样漂亮得几乎混淆了性别的少年，有时会给人一种妖异的感觉。

这大概就是他驾车向我冲来时，我一眼触之，脑海里本能地闪过了鬼魂这个词的原因。

冰凉的液体顺着导针一滴滴进入他的血管里。

他的面上，没缠纱布处，浮着一层细密的汗。

我刚刚奇怪这样舒适的室内温度，他怎么还会热，蓦然间惊觉过来，他在出虚汗。

柔软的同情感牢牢地抓住了我，很奇怪，从受伤开始，我似乎就没有恨过这个肇事者，而此刻，更是只想着怎样才能安全地靠近他。

他十二岁前都在C城生活，只比我小一岁，说不定我们还曾在街上擦肩。

而我现在只要能让他放松戒备，认可我成为他的朋友，彦景城先生就会帮我支付下一学年的学费。

那笔能让我暂时活过来的学费。

我知道这是童话，但绝望之中能有童话出现，也算是死刑到死缓。

我深深地吸了一口气。

拿起桌上的纸巾，试探着沾了沾他的脸上的汗，像个护士一样。

我轻轻唤他的名字：“彦一。”

他不出意外地毫无声息，仿佛我只是空气。

我已经了解过情况，我知道他只是不愿意理我，他什么都听得到，也什么都听得懂。

我也不尴尬，继续换一张纸巾帮他擦脖子。

我用家乡话说：“彦一，你是在C城长大的吗？我也是啊，我叫程安之，安之若素的那个安之。”

还没待观察他的反应，我的目光突然被他脖子靠肩处露出的一小片皮肤吸引了。

一道小小的疤痕。

其实已经很淡。

我伸出手指缓慢地触一下，它真实存在。

我又有些呆滞地把目光慢慢上移，回到彦一的脸上。

他已经有了表情，不知何时，他的脸微微转向了我，仍然是毫无生气的眸子，但我却知道他在盯着我。

美丽的脸。

似曾相识的美丽。

这样的美丽，并不多见。

有什么东西像一大群沙蚁过境般，哗啦啦地冲过我的脑子。

它们掀翻了记忆之门，把各种混乱的久远的记忆翻找出来，散落一地。

慢慢地、慢慢地露出你所未曾想到的奇迹。

有些以为早就遗忘的东西，原来还静静地躺在那里。

你永远不知道命运给你安排的每一个明天，会有怎样的惊吓或惊喜。

所以，你轻易不该放弃，亦不该心存侥幸。

这一次，也许，我会得救，也许，我会坠入更深的黑暗。

但都是转机。

我的声音颤抖，干巴，连自己听起来都像陌生人。

但我还是喊出了那个名字。

我说：“朱一强！”

## 30. 朱一强！我做鬼也不会放过你的！

我和若素的小学生活，是在妙街小学度过的。

妙街小学每一年级有三到四个班，每到下课铃响起，每个教室会同时传来一阵稀里哗啦推桌拉椅的声音，随即从一扇扇绿漆门里冲出来一堆堆活蹦乱跳的小孩。

大家忙着打闹、嬉笑，正是风在林梢鸟儿在叫的烂漫时光。

那时我是班上的小班长，团结同学，尊敬老师，人缘不错，爱唱爱笑。

直到四年级下学期，朱一强跳级来到我们班，成为我的同桌，噩梦就此开始。

第一次被班主任领进来，站在讲台上和大家做介绍时，教室里难得地出现一瞬间的寂静。

个子小小的男孩穿着白色的小西装，安静地站在高大慈祥的班主任身边，朝大家乖巧地笑，好看得就像一个洋娃娃。

班主任说，这是三年级跳级上来的朱一强同学，因为成绩优异，所以从今天起进入我们班学习，他比大家年纪都小，希望大家多多帮助他、宽容他。

后来我才明白，班主任老师的意味深长用心良苦。

我一直觉得，朱一强一定不是因为成绩好而跳级的，一定是因为他原来的老师实在拿他的顽劣没办法，才动用了这一招把他和平送走的。

总之，当时的我满心天真和欢喜地接受了老师安排的任务，让天使面孔的他成为我的新同桌。

一周以后，他把我的橡皮用小刀切成了碎屑当子弹打；

两周以后，他在我的自带水壶里塞了半壶石子；

三周以后，他把我的数学课本每一页都用胶水粘住了一个角；

四周以后，和他一起的第一次小考成绩单出来，他哈哈大笑地指着我的分数笑我“程安之大笨蛋”。

其实，我只比他少五分而已。

但那五分，决定了他是第一我是第二。

而且从此以后，他再也没有从班级第一的宝座上下来过。

我从来没有想过自己会被一个比自己小的小孩整得这么狼狈。

我一向老实安分守规矩深得老师信任，在同学中也乐于助人谦虚友善，并且我一向很享受大家对我的这种评价和印象。

有时候我听到别的家长说我像个“小大人”，还会昂首挺胸沾沾自喜。

但是朱一强把我搞得方寸大乱、形象尽失，有几次我都当众被他气哭。

更可气的是，他对其他同学却都没这么恶劣，虽然也常顽皮，但不至于太过分。

我碍于自尊不肯找老师告状，私下跟他软的硬的明的暗的斗过无数场，但大部分落败。

也曾经发挥班长大人的威严，一本正经地和他“谈判”，却只换来他嬉皮笑脸的一句“就是觉得你好玩”。

我有时恨他恨到梦里都在咬牙，有时却又轻易原谅他。

因为他也不是随时都这样讨厌，他对我时常还有着另一面表现。

比如有时看我真的生气了哭了，他又会收起小恶魔的嘴脸，各种讨好。

这时候他就会用只有我们俩听得见的声音叫我“姐姐”。

“姐姐你原谅我吧，我下次不敢了。”

软糯的声音加上天使般的小脸和诚恳的眼神，从小就有着姐姐情结的我又会百怒皆消。

心里还会悲壮地涌起一种“帮助他宽容他”的责任感。

就这样磕磕碰碰地继续着。

就在我们一起升上五年级的时候，发生了一件事情，这件事使我彻底和朱一强结仇。

那天是开学后不久，下午有一堂游泳课，老师组织全班去附近的游泳馆。

虽然都是未曾发育的小孩子，但也都有了羞涩感，从更衣室换了泳衣出来后，男孩和女孩就各自围成一堆打闹，故意表现自己离异性很远。

我动作慢了一点，出来的时候，身边就没有了伴。

妈妈给我的是一件旧的红色泳衣，有点松了，我一边走一边别扭地拉扯自己的肩带，总觉得有点不安。

就在这时老师吹响了集合哨，大家立刻朝一个方向涌去，我也急急跑了起来。

却突然感觉身后被人猛推了一把，一下子脚底打滑摔了个四脚朝天。

虽然被手肘撑了一下没有摔到头，但坚硬的地板依然磕得我尖叫起来。

朱一强出现在我身边，幸灾乐祸得像只猴子一样跳来跳去哈哈大笑。

“笨蛋摔了一跤！笨蛋摔了一跤！”他兴高采烈地指着我喊了两嗓子，突然停住了嘴，表情有点奇怪。

虽然我已经哭得稀里哗啦，明白刚才是他从后面推我，但他的突然变化，我还是察觉到了。我一低头，发现自己原本就有点松的旧泳衣经此一摔，有一边的肩带整个滑了下来，露出了我平坦的胸。

我可怜的、尚未发育的胸，像青涩的稚嫩的小小花苞，毫无闪躲余地地暴露在全班同学目光下。

那一天，我像只受伤的小母狼一样拼命地号叫着，把朱一强这个小贱人压在身下，使出吃奶的劲掐他咬他，两个男老师都无法立刻把我从他身上扒拉下来。

我依稀记得人的脖子被咬断就会死掉，于是我一心一意地咬住他的脖子不放，听到他杀猪一样的号啕，感觉到嘴里的腥气，仿佛半年来被他欺负的所有怨恨都得以发泄。

那时我一定是真心盼他死掉的。

因为我咬得那么厉害，以至于后来他的脖子留了一道再也消不掉的疤，连医生都惊叹，小姑娘幸好没咬着动脉。

甚至终于被体育老师抓起来提到半空中后，我仍然声嘶力竭荡气回肠地喊了一嗓：“朱一强！我做鬼也不会放过你的！”

我觉得自己特别悲壮、特别解气。

但那次事件，我彻底颠覆了在老师同学心中的乖乖女形象，所有人都相信朱一强只是调皮地推了我一下，并没有太大恶意，而我的报复心之强，堪称可怕。

好事的孩子们进一步推断我以前的乖巧可爱都是装出来的，那个年纪的小孩子最讨厌他们眼中所谓“虚伪”的东西，他们试着用自己的判断来理解世界批评世界。

越来越多的人开始疏远我，甚至攻击我，我的小班长工作也不再那么容易得到支持，上台说话会被人起哄，收个作业也遭到为难。

我无法解释，无法声辩，说什么闹什么，都只坐实了大家的猜测。

不久以后，找了个由头，老师就不再让我当班长了。

朱一强也被安排远远地和我调开座位。

我没能想到，从此我竟然开始变得敏感自卑，总觉得大家都在看我，议论我，上课不敢积极发言，集体活动不敢主动参加，成绩也每况愈下。

这样的状态，此后一直持续到我高中时遇见封信和七春。

还记得出事后，朱一强的妈妈和我的父母一起到班主任那里见过一面。

我不知道他们是怎么协商处理的。

只知道出来后，朱一强的妈妈走到我的面前，摸了摸我的头发，和颜悦色地对我说：“不要怕，阿姨理解你。”

我含着眼泪抬起头，看到一张和朱一强有着八分相似的明艳照人的脸。

她笑得如沐春风，招手把脖子上还缠着纱布的朱一强唤过来。

“小王八蛋。”她轻飘飘地娇嗔了一句，用涂着亮粉蔻丹的手指轻轻点了一下表情木然的朱一强的鼻尖，“把你也扒光给你同学看哦。”

我愣了几秒，哇地又吓哭了。

我的父母正好过来，赶快把我带走了。

此事就此结束。

后来的两年，朱一强也似乎变得沉默了许多，不再那么调皮，成绩却依然很好。

有几次我感觉他想靠近我，我都立刻敏感地逃出很远，明白地表现出对他的憎恶。

他也终于放弃，渐渐看到我也如见仇敌。

六年级的时候听到一点传闻，说他从小就没有爸爸，我暗里竟又有些心软。

但终究只是少了一点恨怨。

小学毕业升初中后，很多同学都分散了，我再也没有见过朱一强。

多年后，在开着冷气的豪华病房里，我看到了那张美丽而冰冷的面孔。

那张面孔，和记忆里只见过一次的朱一强妈妈渐渐重叠。

我不敢置信这种无厘头的联想。

但是，记忆里的朱一强，是顽劣的、可恨的、上天入地的、无恶不作的。

而眼前的少年，单薄脆弱精致消沉，如同夏初将逝的春花。

如果不是看到脖子上那道疤，我大概永远不会产生这样不可思议的联想。

彦一，就是朱一强。

*彦一，就是朱一强。*

## 31. 我想带你去我儿时的花园坐一坐

早晨九点的妙街小学，依旧是书声朗朗。

操场的东边，多了一座几年前新盖的五层教学楼。除此之外，和我们十几年前就读时几乎毫无变化。

门上的绿漆年年剥落，却永远也掉不完；百年树龄的榕树扎根很深，不畏岁月，愈见沉稳。头发花白的老教师夹着课案匆匆穿过操场，而抬头看去，总能发现某一扇窗后，有着调皮的眼睛在偷偷张望。

我想起和朱一强在这里水火不容的日子，再看看身边走着的人，不禁感慨万千。

穿着件黑色连帽衫，把帽子拉到头顶上的彦一也恰在此时扭头看了我一眼。

彦一有一双和他妈妈一样的略为狭长的眼睛，线条妩媚。这样的眼睛，即使在笑的时候，也仿佛看不出真心。

我的心颤了颤，想起他的经历。

也想起了他那和我只有一面之缘却早已不在人世的妈妈。

有些难过。

我们慢慢地沿着操场走，学校并不大，很快就是一圈。

我问他：“累不累？”

他生病以后，身体就一直不好，从小那么生龙活虎的男孩子，现在却和柔弱少女一样。

他微微摇一下头。

“快到了。”

他带着我绕到学校小礼堂的后面。

小礼堂的后面，一直是当年孩子们口中流传的禁地。

其实是因为后面是一片荒地，荒地后又连着一片废弃的工地。年久无人，杂草与灌木疯长，竟形成密实的天然围墙，还成了各种蛇虫鼠蚁乐园。

我们上学那会儿，听说有几个高年级的男生结伴去探险，结果其中一个被蛇咬了，几个人屁滚尿流地回来，为了掩饰号啕大哭的尴尬，就不断地向其他孩子鼓吹在后面遇上了各种鬼怪。

我也曾经被这些传说吓得晚上和若素一起非要粘着妈妈滚被窝。

现在长大了自然明白了怎么回事，但是却不明白彦一干吗要带我往后走。

十几年过去了，当年我胆小，从来没有来过这里，现在看来，却也不像传说中那么惊人。不过是一片灌木丛生的荒草地，远处还有着一圈矮墙，墙的那一边有一些建筑，像是小别墅，但看得出早已废弃，有的地方隐隐露出堆积的建筑材料，有些已经与尘和土混在一起，几乎辨识不出真相。

看来当年这里曾经准备开发成商用别墅区，但不知道是什么原因，半途而废，之后竟再也未有转机。

彦一突然一回身拉住我的手，飞快地沿着小礼堂后墙往更深处走，我有点胆怯地提醒他：“有蛇啊。”

他却不管不顾，看起来轻车熟路，幸好是冬天，草木多数枯萎，他随手拨开，一路竟也没有沾到我的衣服。

转了几下，就到了一处矮墙边，那矮墙不知怎么塌了一块，红色的砖块已经变得灰黑。

彦一却意外地露出一线孩子般的笑容来，仿佛确认了什么天大的秘密，松了一口气的感觉。

我心里动了动，跟着他走上前去。

他松开我的手，伸头往那个缺口处看了看，突然一抬腿跨了过去。

我吓了一跳，叫出声来。

那边的工地和这片荒草地还有个三四米的落差，而且碎石众多，直接跳下去有些小险。

却见彦一已经稳稳地站在下面，朝我笑得天真。

原来这缺口下面竟别有洞天，不知道为何有一个土坡，这样穿过两边，都轻松自如。

我也学他的样子跨过去。

脚刚落地，他就一把重新拉起我的手，奔跑起来。

我依稀想到了什么，他曾经对我说："要是有一天我能回去，我想带你到我儿时的花园去坐一坐。"那时他已经拥有了巨大的精致的人工花园，他就是那个花园里唯一的小王子，但是他那么落寞。

而现在，他奔跑了起来，微微眯起的眼睛里，细细碎碎全是笑意。

一瞬间，仿佛能够看到那个四年级时转到我们班上的小男孩朱一强的影子。

这样的笑意，在我重新遇见他以后的任何时间里，都不曾出现过。

我受到莫大的感染，跟着他疯跑起来。

竟不问去向何地。

这时的天，是冬日里少见的晴。

早晨九点多的阳光干净而温柔，天空的颜色是浅碧澄澈，飞机飞过划出的残痕像白色的发带，温柔妖娆，蓝天竟似美人。

远处城市的高楼仿佛隔着一层极淡的雾气，黑衣的大男孩在瓦砾砖块间轻盈地奔跑，周身仿佛被阳光宽容地拥抱。

风刮了起来，只有风在耳边掠过的声音。

像翅膀，像音符。

我不敢张嘴发出任何声音，只怕把沉浸在旧梦里的彦一惊醒。

十二岁那年，我们一起小学毕业，我以为朱一强去了别的中学，但其实，那一年的夏天，他离开了 C 城，从此改名叫彦一。

他是被他的亲生父亲带走的，那个人甚至自己都没有露面，只派了他的弟弟彦景城，对他出示了亲子鉴定的结果，然后毫无商量余地地迅速为他办了赴港手续。

事实上谁又会给十二岁的他商量余地。

过去的十二年里，父亲一直神秘缺席，母亲虽然性格乖张，但至少给他片瓦遮头。

但是突然间，母亲也轻易放弃了他。

她说："我把你养这么大，就是为了这一天，能和他换得这么大一笔钱。你呢，以后也是有钱人家的少爷了，多好。"

她摸着他的头，然后夸张地比画出好大一堆钱的样子，灿若桃花的脸笑得娇媚。

从头到尾，她未为他掉一滴眼泪。

他以为自己恨她，在去到香港后的头三个月，竟次次梦里哭醒都在叫她。

但是一年后，他的亲生父亲面无表情地告诉他，她死了。

发现肺癌晚期，她只熬了三个月，但她至死都没有给她的儿子一个电话。

然后朱一强彻底变成了彦一。

他疯狂、叛逆、自残、破坏、封闭、挣扎、声辩。

做一切无用的反抗。

其实他不明白，所有的不甘和自伤，都只对在乎的人有用。

在那片土地上，并没有人真正在乎他的感受。

他终于在漫长的扭曲的青春里被磨砺成我们再见面时的样子。

心里在哭，却再没有眼泪。

回忆间彦一已经拉着我，站在了一个小小的院落里。

他张目四望，露出一点失望的神色来。

似乎想极力寻找出一些当年的痕迹，但时光卷起了沙土，埋葬了记忆。

他拉着我，在一处台阶上坐下，我注意到台阶堆满了厚厚的灰土，但他不以为意。

在香港的彦一，十指不沾阳春水，有着富家少爷的各种恶劣行为和脾气。

他从来不碰任何他认为不干净的东西。

那个大而空旷的房子里，最活跃的永远是时刻不停在轮流擦拭的清洁工人。

我陪他安静地坐着。

他继续缓缓地转动目光，打量着这个破败的院落。

“那个角上，看见那堆石头了吗，它们已经被土埋得快看不出来了。如果挖开，会发现下面有个玻璃瓶，是吃糖水橘片剩下的那种玻璃瓶。里面有几颗弹珠，两颗蓝的，两颗红的，一颗绿的。”

他用手指一指，声音轻柔，弯起了眼睛和嘴角。

不可思议，这个世上还有一个温暖的彦一。

“还有墙角那堆看起来枯死了的植物，其实它们没有死，那是一株芙蓉花，春天的时候，就会活过来，每年都是这样，会开很大的花朵。”

“还见过燕子窝的，可能早就搬走了。”

“好多蚂蚁窝，还捉到过四脚蛇，后来放了。”

“红色的碎砖和白色的卵石，可以分成不同的部队玩打仗，我从前院跑到后院，指挥官都是我。”

“有一种淡紫色的小花，只沿着台阶边上生长，碎碎的很好看，我一直想用它编个项链给你，顺便跟你和好的，但你总也不看我，不理我。”

“那时候我想，算了有什么了不起。亏我还想过把这个秘密花园跟你分享。”

“后来，也没有机会后悔。”

我一直听他说。

风那么温柔，阳光那么幽静，而彦一说了那么多的话。

他开始的时候，还有些犹豫不决、断断续续，但后来，语声已经轻快。

像失语了太久的孩子终于找到出口。

“我几乎每天放学，都会来这里，没有人知道这个秘密，这是我的秘密。”他身上无形的盔甲一片片跌落下来，声音却渐渐低下去，也许从十二岁那一年离开起，他就这一刻放松过自己。

他累得心都生了病。

“你知道吧？我讨厌回家，讨厌朱雪莉，我那时候，那么讨厌她。”

“可是，她死了……”

他的头，一点点埋进膝盖，那些如同昙花一现般的欢快与笑容，就在这瞬间，如魔法般消散在空气里。

仍然是日光晴好，但他走不出头顶那片压城的黑云。

听说有过抑郁经历的人，其实都是简单纯洁的天使。他们被困在自己的城堡里，对这世间的绝望，看不清，亦放不下。

我握住他的手，像以前的许多次他发病时候那样。

我说："你不讨厌她，你爱她，她是你妈妈。"

他全身细微地震动了一下，但没有甩开我。

我抓紧他的手，怕他发急。

我相信他爱他的妈妈，他逼我学的那首钢琴曲，后来我才知道，那也是他妈妈弹得最好的曲子。

她也曾温柔，弹那曲子哄他入睡。

只是回忆越暖，伤口越痛。

我说："你只是有很多想不明白的地方，比如他们过去的故事，比如她为什么放弃了你。"

我以为他会暴怒、会发疯，会劈头盖脸地骂我然后逃走。

但是他没有。

只是难挨的寂静过后，他突然抬起了头。

他微微眯了眼睛，看了看墙角貌似枯死的那株植物，然后转过头，朝我露出了一个微笑。

轻柔的、美丽的、安静的微笑。

我和他相处时间不短，也常常会觉得彦一的美丽中带着一种遗传自他妈妈朱雪莉的妖异。

但从来没有一次，他让我感觉油然而生的莫名畏惧。

他微笑着轻声对我说："你知道吗，我一直怀疑，朱雪莉是被人杀死的。"

他顿了顿："杀死她的人，也许就是我爸爸。"

# 第十一章

## *Flower*·医者

我爱他隐忍沉默，我爱他心知所有；我怕他孤独远行，我陪他不知回头。

# [楔子·黑与白]

“139 号，封华，7 号窗口，探视时间二十分钟！”

狱警洪亮的声音从扬声器里传出，或许是设备已经不新，伴随着电流的嗡嗡声。

大厅里原本已经挤了不少人，隔着一层防弹玻璃，里里外外的人都尽量对着话筒用力而大声地交谈，这是每月一次的监狱探视时间，一直有家人记挂的那些人，无疑会多一些幸福感。

但是干净的囚衣上标着 139 号号牌的封华，却并不像其他犯人听到召唤时那样激动，他甚至没有加快自己的脚步，而是略有迟疑。

他进来第六年了，还有一年，他就可以恢复自由。

但这是六年来第一次有家人要见他。

作为经济犯，狱警们对他并不苛刻，何况家人打点一直丰盛，只是好奇问起为何从未有家人探视时，封华也总是垂头不语。

因此跟在他身后的狱警小张好奇地朝 7 号窗口外张望。

窗口外坐着的年轻男人，有着一张酷似年轻明星的脸，即使是在这铁灰色基调的严肃空间里，也是足够引人侧目的存在。

但更让人觉得特别的是他有一双很亮的眼睛，看人时似乎表情温和，但抬头间，那眼神但却有着难以回避的洞穿一切的犀利。

小张暗想，他倒是很适合做警察。

他终于想起第一眼时的隐隐熟悉感来自何方——那年轻男人的脸，和身边的囚犯老头封华有几分相像。

封华在指定的位子坐下，他也注视着玻璃外的那个人，他的儿子封信。

他们竟然已经六年未见。

他猜想封信恨他，因为封寻。

最初的时候，他也恨自己，恨到觉得自己今日处境是罪有应得。

但是日子太长，活着的人太容易寂寞，渐渐地，他已经想不起女儿的笑语和眼泪，那些感觉在渐渐远离，他现在只渴望回到自由的那方蓝天。

他注视着儿子，眼睛里慢慢浮出一些欣喜和激动，更多的是犹豫和怀疑。

封信也注视着父亲。

他握着话筒的手指尖在不争气地微微颤抖，他极力掩饰着这种失控，因为太过用力，指节握出异样的白。

不是单纯的恨，也不是简单的爱。

那个人看上去苍老了很多，头发已经显出花白，皱纹也刻进眼角，在貌似温和谦卑下的眼神，依然能捕捉到一线昔日的专横霸道。

就是这样的专横无情，害死了封寻。

想到封寻，他猛地闭了一下眼睛。

"要好好地活下去，像最健康的狮子，在阳光下散步，在森林里打盹，不害怕、不内疚，也不恐惧。"

整理封寻的遗物时，他翻到一本她爱读的外国小说，里面有一段这样的句子，她用红笔画了线，纤细的字体在边上写着：哥哥。

边上是个大大的笑脸。

他无视了她的愿望，一意孤行地以恨为剑，走进了阳光永不升起的黑暗之城里。

挨过心里几秒痛苦的痉挛，他慢慢地睁开眼睛，已经恢复平静。

封华把儿子反应都看在眼里，更增几分狐疑。

两人都拿着话筒，却迟迟没有发声。操心的小张在一边看表，很快时间已经过去了十分钟，会见时间难得又紧迫，谁不是争先恐后地说，这里倒好，一直在大眼瞪小眼。

“爸。”终于还是封信打破了沉默。

“嗯，你长大了。”封华松下一口气。

“你老了。”封信不动声色。

“你妈的墓每年都去扫过吗？”这是封华最挂念的事。

“嗯。”

“奶奶呢？”

“嗯。”

都没提封寻，也没提爷爷，名为父子，彼此间却有着那么多不可触碰。

再次沉默。

探视时间只剩下最后三分钟，小张提醒。

“爸，我今天来，是有件事要告诉你。”仿佛下定了决心，封信慢慢地把话筒贴紧自己的脸。

“什么？”封华问。

“当年，你害死了阿寻后，我恨你，恨到想要杀了你。”封信轻声地，却一字一字让每个音都清楚地传进封华的耳里。

他看着封华突然间扭曲的脸。

封华怒火翻涌。

即使是封寻出事后那些天，封信也从未这样大逆不道地直接攻击过父亲。

“但我更恨我自己，我竟然没有勇气杀了你，我甚至不敢像现在这样，大声地说出我有多恨你。”封信直视着父亲的眼睛。小张惊讶地看到，这个一直表面平静温和的年轻人，眼里毫不掩饰地涌现出那么多直接汹涌的情绪。

“所以，我做了一件事，我偷偷摸摸地找了一个女人结婚，那个女人家里很有权势，施了一点点压，就让你判了七年。虽然当时你确实有重大的税务问题和其他经济问题，我不多此一举，你可能也会判刑。但我那么不放心，怕你神通广大会安全脱罪。”

封华猛地站了起来，双目怒张，嘴里发出咯咯咯的可怕异响。

六年了，他一直以为是自己运气不好，当年无论怎样托关系，散家财，仍然被判了重刑。

然而，真相却在这里。

他的儿子！

他亲生的儿子！

“小畜生！你这个小畜生！我宰了你，等老子出来一定要宰了你……”各种不堪入耳的脏话从封华的嘴里倾泻而出，他嘶吼着摔了话筒，状若疯狂地扑向玻璃，额角狠狠撞上的一刻，发出巨大骇人声响。

小张和另外一个狱警迅速把他制住，像制住一只突然失控的狗。

没想到多年来老实规矩的封华居然也有这样一面，果然所有的犯人都是定时炸弹。小张这样想着，回头看了一眼那个年轻人。

他看到那年轻人也已经怔怔地放下了话筒，所以，没有人听到他最后一句低语。

“阿寻，对不起。”

# 32. 除却君身三重雪，天下谁人配白衣

手机欢快的铃声在客厅响起。

“喂，程安之！我的手机落在家里啦！我现在打车快到小区门口了，你给我送下来呀！”七春的大嗓门在电话里响起。

“遵命女王大人！我就下来啦。”我一边穿上外套，一边从沙发上拿起七春的火红外壳新款手机，顺便看了一下钟才八点半，昨晚一夜无梦，都不知道她什么时候出的门。

我到小区门口的时候，看到七春正在出租车后座上向我张牙舞爪地挥手，她身边还坐着一个姑娘，戴着夸张的大流苏耳环涂着艳红的唇膏冲我笑，我感觉有些面熟，但一时想不起来在哪儿见过。

看着她们的车开成了赛车般呼啸而去，我不由得想到最近我和她都各自早出晚归，竟然很少在一起谈心，连彦一回来的事都没来得及和她八卦，心里涌起了一阵淡淡的失落感。

反正已经出门了，我想了想，决定干脆去风安堂一趟。

去前没有给封信打电话，倒是在路边小店买了一颗纽扣电池。

风安堂的空气里永远弥漫着淡淡的草药清香，带着微苦的警醒，染在来来往往的人的衣襟上，钻进毛孔里。

我很喜欢中药的还没有煎熬前的这种气息，封信的身上就有着这样清淡的味道，宁静悠远，古朴明慧。

我进去的时候看到小岑正在一间诊室的门口帮忙喊号，大厅里病人很多，正是最忙的时间。

封信周一到周六几乎是全天出诊，但是即使经常工作到下班后，仍然远远无法满足慕名前来的病患。

我准备偷偷看他一眼就走，免得耽误他工作，却意外地发现他的诊室门口今天并没有挂他的牌子，挂的是另一个名字：封柏南。

那是封老爷子的大名。

封老爷子现在已经很少坐诊，封信一向孝顺，如果不是有特别走不开的事，比如要去外地开会或出诊，他都不会让爷爷来替班。

我瞅个空子拉拉小岑，她正在和一个意欲插队的病人百般解释，一扭头看到我，圆圆的脸蛋顿时绽开了花。

我说："人呢？"

她会意地朝诊室里努了一下嘴，依稀能看到封老爷子一头飘逸的银发。

"不知道！"她朝我喊了一嗓子，"好像说是去妹妹那儿了。"

这时我好像看到封老爷子抬了一下头，不知道是不是看见了我，我心虚地朝边上闪了闪，想了想，对小岑说："我来帮你看着号，你去药柜那帮忙吧。"

我一边把着门按挂号次序核对病人的身份，一边饶有兴趣地观察着每个人的表情。

抱着孩子的愁苦父母，操着外地口音的面黄妇女，教授模样的老人，充满希望的年轻夫妻。这小小的诊室门口，仿佛是一个浓缩的世界，上演着各种心事，轮转着悲欢离合。

我想起自己得的那一次莫名的午后低烧，所有的仪器都无法检查出确切的病因，一次次燃起希望却又跌回绝望，几乎在短短的一个月里，磨灭了人的所有意志与坚强。那种地狱般的经历，不是身临其境的人，大概永远也不能想象。

也就是那时，我辗转于无数病友间，在现代化的大医院里如游魂般飘荡，才知道，原来这看似人类已经上天入地的时代，依然有着那么多无法攻克的疾病、无法解释的症状。

在我的病始终无法确诊的那段时间里，我不断地被医生们推来推去，在各门诊间反复做着无意义的重复检查。那时我其实不怕死，我怕的是失去最后的希望。

只要有一个医生，愿意温柔地接待我，告诉我他还会努力，他不会放弃，我想那一定是世界上最动听的声音。

而现在，这些满怀着希望而来的病人，在他们的眼里心里，封信，是不是就是那一线希望?

来到这里的人，很多都是被现代医学抛弃，宣告无解的病人，他们抱着对生命的最后一线挣扎找到这里。中医长久以来被质疑被边缘，却又总在人们生命的关键时刻，承担着那一线生死幻灭的责任。

我第一次重新审视起封信的职业。

他从来都不是平凡的人，所有的选择看似平静，对他来说，却都总有背后的惊心动魄。

依稀间，仿佛看到多年前那衣衫单薄的少年，以头抵地，寂然失声。

我眼眶发热。

大厅里突然传来了一阵喧闹。

排队的病人和家属都骚动起来，一个个伸着脖子朝外看。

然后就看到一个身形高大的中年男人，扶着一个消瘦干巴的老太太颤颤地走了进来，老妇人的手上紧紧攥着一卷东西，深红的布面和金黄的穗子，竟似一面锦旗。

男人扶着老太太小心地挪动。

刚到诊室门口，就见老太太双膝一软，直直跪下了，同时形如鸡爪的手将锦旗抖开，混浊的哭喊声带着浓重的外地口音响了起来。

周围的人都乱了，各种声音混杂在一起。我赶快伸手去搀老太太，没想到这老人看似瘦小，力气却不小，执意跪着，把锦旗高举过头，如同行古礼一般，双膝纹丝不动。

封老爷子也出来了，看老太太哭得伤心，一边矮身亲自去拉人，一边听那个中年男人翻译老太太的话。

原来老太太患有近十年的失眠症，失眠是常见病，但老太太症状之严重，令她几乎生不如死。十年来，她每天都要借助大量安眠药才能勉强睡个两三小时，而且有强烈的畏冷症状，连夏天都要盖棉被。

这样的病，不是绝症，却如同附骨之蛆，一点点将人啃噬逼疯。

一次次求医，一次次绝望。

她老伴已逝，生无可恋，多次试图自杀，儿女不得不轮流陪守。

两个月前，在C城工作的儿子听同事谈到风安堂的封信，抱着死马当活马医的心态，将老太太接来一诊。

第一次问诊时，年轻的封信在老太太眼里，几乎没有任何信任可言。那么多名医都看不好的病，怎么可能在这样一个年轻人手里出现转机?

老太太原本就是爆脾气，当日见到封信后几乎当场大闹医馆，觉得儿子愚弄了自己，存心折磨她。

是封信的诚恳劝慰打动了老太太，他一次开出十二服药，让老太太一定试一试。

十二服药后，奇迹出现了，老太太的睡眠竟然真的有改变，虽然仍然要吃安眠药，但睡眠时间有明显增长。

之后老太太继续问诊过两次，一个月后，她几乎可以脱离药物入睡，畏冷症状也基本消失。

中年男人含着眼泪诉说着，我注意到周围的病患有些也偷偷抹了眼泪。

也许病中的人，最能懂得病过的人的心情。

那些对别人来说仿佛路边新闻的经历，对身在其中的人，却是日日生不如死的绝望与疼痛啊。

老太太一直跪在地上哭喊着一句话。

边上有人听懂了，说她喊的是“封医生，我不用死了”。

中午休息的时候，我溜到封老爷子面前，捧着从小餐厅打来的饭菜很狗腿地叫爷爷。

顺便瞄了一眼墙上挂满的各种锦旗，各种“封医生”、“封信医生”的字样，看得我心花怒放。

封老爷子刚刚用假牙啃完一块排骨，乐呵呵地瞅我：“小程丫头，刚才就看到你了。”

我说：“看您忙，我就一边待着。”

老爷子嘿嘿嘿：“来找封信？”

我摇头：“来陪您下会儿棋。”

听说老爷子好中午来一局，只是段数太高，杀得医馆无敌手，所以没人陪他乐了，寂寞得很。

果然一听说来一局，封老爷子立刻双眼放光，排骨也不啃了，碗一推叫嚷起来。

我也匆忙扒了几口饭，把棋盘摆好。

看老爷子手痒难耐的样子，我趁机说：“封爷爷，您水平这么高，要是我侥幸赢了一局，您能不能奖我点啥？”

封老爷子双眼一眯。

我暗想自己是不是太现形了。

停了三秒，老爷子突然哈哈大笑起来，边笑边毫不客气地开局。

“丫头，你赢我一局，我就告诉你一件你想知道的封信的事！”

我大喜过望：“来了！”

一个半小时后。

我愁云惨雾，老爷子斗志昂扬。

原本想着从小被老爸当陪练多少有些基础，没想到老爷子酷辣狠厉，竟杀得我没一点胜算。

眼看到了下午的出诊时间，老爷子神采奕奕、毫无倦色，我丧志地告饶。

封老爷子各种意犹未尽，跟个小孩儿要糖果似的缠着我说晚上再去他家陪他来两局。

我佯装苦闷状摇头：“不来了，跟您下棋太绝望了。”

老爷子不甘心：“丫头我下次让着你点。”

我说不要。

看我意志坚决地收拾棋盘，老爷子小急起来。

眉毛胡子都抖了抖，他抓了我的一只手道：“封信今天到封寻那儿去了！”

我说我知道。

他挠挠头，看看门口已经在催促的病人们，下定决心般一拍大腿。

“晚上再陪我玩几局，赢不了我也送你一个事！”

我立时笑得阳光灿烂。

“那我在外面等着，五点陪您一起回去！”

转身出去时，听到老爷子在身后一声笑叹：

“小程丫头，你啊，看着傻，其实比谁都聪明。”

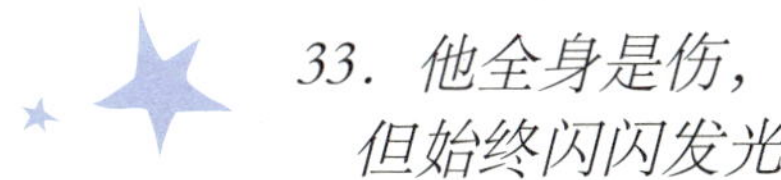

## 33. 他全身是伤，但始终闪闪发光

这天晚上，我正在封家的大客厅里被封爷爷当肉票杀得哭爹喊妈之时，封信回来了。

外面已经打霜，他带着一身寒冷的气息，进得屋来，面上微微一怔。

我仰脸朝他笑，桌上的茶盏冒着热气袅袅，棋盘上的棋局已残。封信站在玄关处静静地看着我们，封老爷子却不管不顾孙子的到来，一个劲地催我快快快。

我胡乱落了一子，瞅到封信换上了拖鞋，把包和外套随手挂好，长腿一动漫步而至，眼睛里看出柔柔的笑意来。

没有寒暄和询问，我坐在沙发里，他随意地倚靠在沙发扶手上，静观两分钟，忽然伸手替我走了一步。

竟是一步绝子，在无望中喘出一口气来。

老爷子可不乐意了，我发现他很奇怪，别人都希望棋逢对手，但老爷子就是热爱百战百胜。

按理高手踩菜鸟实在是没什么乐趣的事，但他简直沉迷其中。

难怪没人愿意陪他玩。

在老爷子的怒斥里，封信面不改色地轻拍了一下我的头：“这局完了上来找我。”竟悠然回房了。

我像小叭狗一样给不满的老爷子顺毛。

踮着脚上楼的时候，心跳有点快。

如果世界上有一个人，无论你见过他多少次，但每一个下一次仍然如同初见般既羞涩又甜美，既紧张又期待，那么不用任何证明，你会知道那就是爱。

我轻轻推开封信的房门，他正坐在书桌前整理什么，回头看到我进来，扬了扬嘴角，招手示意我过来。

我走过去，突然看到他手上的一样东西，吓了一跳，刚想说的话做的事全抛在了脑后，脸烫得下意识转身就想溜。

他伸手一捞拉我回来。

像看着什么神奇的东西般，他翻来覆去饶有兴趣地摆弄着那只丑得要命的旧旧的恐龙。

那还是当年在学校时，不敢走进他只敢在远处偷偷张望的我，扔进他的礼物堆里的纪念物。

如果捏它的肚子，它会发出惊天动地的大叫。

但是上次我进他房间发现它时，它已经没电了。

封信一手圈着我，一手抓着那只恐龙。

我大气也不敢喘，不知道他葫芦里卖的什么药，却见他突然扬起手，捏了一下那只恐龙的肚子。

惊天动地的怪异叫嚷瞬间响彻房间。

“I love you！ I love you！ I love you！ I love you！……”

我简直无地自容，眼里看到的，却全是封信促狭的笑意，仿佛是存心刻意捉弄我。

“什么时候偷偷给它换了电池？”他轻轻拉了一下我背后的一缕头发，像个调皮的小男孩。

不知道从什么时候起，他似乎不再是那个即使微笑也让人感觉到冰冷和疏离的男子，独处的一言一行里，更多的寻出一点点生动与变化来。

我一瞬间看着他感觉目眩神迷。

我老老实实交代说：“下午跟封爷爷回来的时候。”

本来以为很久才会被他发现，没想到会这么快暴露。

仿佛看穿了我的心思，他笑，却不解释。

“换电池的时候，发现了这个。这是什么？”我老实地摊开手心，给他看那颗木色的扣子。

很普通的扣子，但总觉得有些熟悉。

他把扣子拿过来，似乎饶有兴趣地举过头顶，扣子中间的四个小孔透过一点点光，像调皮的精灵。

“是颗扣子。”他清清淡淡地说。

我哦了一声，觉得他的回答和没回答一样。

“怕冷吗？”他突然问。

我怔一下，摇摇头。

“要不要陪我回学校去看看？”他有些不确定地问。

“这么晚”、“你不累吗”等等下意识的回复在脱口的一瞬间被我敏捷地打回肚子里，我用力点头：“好！”

到了学校的时候已是晚上近十点，还有个别晚自习散后的高三学生在零星走出，一头银发的门卫大爷手拉铁门，随时准备闭上。

我赶快小跑过去，对门卫大爷笑眯眯：“老师！我是这所学校原来的学生，现在在外地工作，难得回来一趟，想来母校走走，回忆一下青春，您看来得晚了点，能不能通融一下让我进去个二十分钟？”

这词我在路上就已经盘算好，想着自己也算长得乖巧，多求几次应该能成。

不料门卫大爷脾气不小，话还没有听完，嗓门就大了起来：

“少跟我来这一套！我什么没见过，小情人买不起电影票还想玩浪漫，想跑到学校谈恋爱带坏学生？走走走！”

几个过路的学生立刻嘻笑起来，我的脸腾地红了。

正不知怎么办，身后突然传来温润清远的一声：“郭老师。”

刚刚锁好车的封信，从路灯的昏黄光晕里走出来，他的脚步不急不徐，我却看得心里直颤，仿佛他走的不是路，而是他多年前转弯的人生。

那年离校，他就此失踪，再不曾回来。

他的青春在这里戛然而止，仿佛一个劫。

他在门卫大爷面前站定，又轻轻叫了一声：“郭老师。”

门卫大爷仿佛从震惊中清醒，下意识地揉了一下眼睛。

“你……”被叫作郭老师的老人迟疑地发出一个音。

“你是封信！”

“我是封信。”

几乎是同时说出了答案，只是一人山雨欲来，一人尘埃落定。

他是封信，是人海里偶然一夕相遇，很难再从记忆里抹去的封信。

“我们那时给你打了无数个电话，我还去过你家上门拜访你爷爷，他说你不肯见我。”用力地摇晃着封信的肩膀长达一分钟，郭老师仍然无法平复情绪，声音百感交集，表达着事隔多年仍然又爱又恨的心情。

“对不起。”封信轻叹，“是我不懂事。”

“你不是不懂事，你是太懂事。”郭老师稍稍平复一点情绪，叹着气说，“你是我执教四十年，见过的最懂事的学生。你那么做，一定有你的理由，人生的事，不到最后，谁也说不上个对错。”

“嗯。”封信的语气里，似乎有一点点不易察觉的哽咽，他握住老人的手，“您身体好吗，退休后舍不得学生所以主动来看门吗？”

“嘿嘿，你啊一猜就中。”

两人叙着旧，我站在一边安静地听着看着。

我能感觉出封信极力压抑着的各种情绪，那么长的时间都不敢面对的人和事，并不是每个人都有勇气回头。

曾经看过一部很有名的影片，漂泊在海上的天才钢琴师，一生都走不下他的船。无数次站在出口，却最终迈不出那一步。

世人又何尝不是如此。

我知道封信有多勇敢，而我能做的，就是站在他的身旁。

因为认出了封信，郭老师毫无犹豫地给我们打开了大门。

我跟封信慢慢在校道上走着，每一步，时间都像残云般呼啸着倒退过我们的脚下，我们紧紧地牵着手，感觉到这无声的惊心的力量，一时间竟谁也没说话。

回忆太多，回忆太傻。

我指给他看，声音轻轻的：“那时候最盼望在课间操的时候，你和检查的人一起走过走廊。”

他仰头看一眼，微微笑道：“这个距离怎么看得清。”

当然看不清，根本看不清脸。

“你只要出现，一点点身影，我就知道那是你。”我认真地说。

“有那么好看吗？”他问。

沉浸在青涩回忆里的我一怔。

脸悄悄地烫了。

嘴上却要逞强，反正脸皮已经厚到不怕开水烫：“好看，就是好看！没人比你更好看！”

手里无声地紧了一紧，是他的温暖。

“不知道为什么，很喜欢你对我这么花痴的样子呢。”他停下脚步，眼睛亮亮地低头看我，但语气却是认真。

我架不住他的目光，索性一头钻进他的怀里，抱紧了他，不肯抬头。

他笑出声来，显得那么开心，像个孩子，回抱我的手臂温柔有力。

我心里暖暖一颤，就算是在他那么美好的少年时代，我也没有听过他这样开心的笑声。

停了片刻，我从他怀里探出头来，看到他正看着不远处的礼堂。

我躲在他怀里抬头问他：“封信，你为什么会成为一个医生呢？”

我记得他曾经是在画画上极具天赋的少年，我一直记得那次我们集体作业在大礼堂画墙画，结果因为效果不好，不得不请他出手相助。他连夜修补，化腐朽为神奇。

但我也记得，他现在的房间里，几乎看不见一张画纸和一支画笔了。

他嗯了一声。

“我从小就知道，我会继承爷爷的衣钵，成为一个中医师。”

“为什么呢？因为被期望吗？”

“因为妈妈的死。”他答得平静，倒是我身体一僵。

像不小心触到的秘密机关。

不知道门后是喜是悲。

“妈妈死于急性胰腺炎，死亡率很高的病。已经进了重症监护室，下了病危通知。爸爸深爱妈妈，整个人都乱了，爷爷做主决定用自己开的中药方来救妈妈。”他轻轻呼出一口气，白色的气息在清冷的空气里消散。

“一天连喂十次中药，是个很猛烈的方子，爷爷以前在乡下行医曾经用这个方法救活过数人。但是对妈妈没用，两天后她还是死了。妈妈死后医院把责任都推给爷爷，说是家属滥用药。爸爸也疯了，把一切都怪在爷爷身上。他们决裂就是那时候开始的。”

“所以你想努力做个能救活所有人的好医生吗？”自觉这句话有点天真，但我还是问了出来。

他果然轻轻揉了一下我的头。

“世界上哪里会有能有把握救活所有人的医生。”他说，“但是，只要有一线希望，也愿意百分之百付出努力的医生，才是病人最期待的吧。”

他一只手把我的手握住，另一只手搂着我的肩慢慢往前走。

“我觉得爸爸是错的，因为他这样的迁怒，这世上敢救人的好医生才越来越少。所以，我想继续爷爷的路。”

我没有再接话。

但我的心却受到了前所未有的震撼。

因为那场病，我见过太多因为没有把握，所以不断拒绝，掐灭病人最后一点希望的医生和医院。

妈妈的死、爸爸的恨，理应让封信更加明白，这条该出手时就出手的路，要承受多少误解、压力与艰难。

但他清楚地看到这所有，却义无反顾，从不回头。

这就是我爱的人，他全身是伤，但始终闪闪发光。

我不知该如何感谢这段命运的相遇，感谢封信，活得一如我的理想，就像我多年前初见他时，他美好清朗的模样。

我正在热血沸腾，突然感觉到封信外衣口袋里的手机振动。

他接听后面色变得严峻起来。

“我知道了。”他说。

他挂掉电话，抱歉地对我说：“我要去一下医馆。”

那时，是晚上十点过十五分。

星光稀少，但亮度很好。

仿佛人间宁静，四海温柔，不似有事将生。

## 34. 我会让她为我穿上婚纱，执我之手，冠我之姓

“求求你，医生！给孩子开点药吧！”哭泣的中年妇人扑上来抱住封信的腿，嘶哑的声音瘆人又心碎。

地上一卷污脏的铺盖上，躺着一个看上去只有三四岁的小女孩，牙关紧咬，脸色白得不似活人。

穿着粗布旧棉袄的中年男人蹲在小女孩身边，粗大的布满伤痕的手指胡乱插进自己蓬乱的头发里，用力地揪抓着，无声地发出悲鸣。

这样的场景，不知道封信是不是见过很多次。

但对于第一次遇到的我来说，却是莫大的冲击。

我知这世间多疾苦，但亲眼亲身，仍是不一样的震撼。

“我劝了很久，他们说什么也不肯走。”值班的小松护士见到封信，大松了一口气，委屈地声辩道。

“外面冷，不如先把孩子抱进来吧。”我脱口道。

一回头，却看到小松明显着急和反对的目光，心里咯噔一下。

封信倒没有说什么，他只是沉默地看着那对农民工夫妻将生病的孩子抱进屋，眉宇间隐有忧色。

孩子的妈妈一直在哭，断断续续间听到“没有钱”、“赶出来”等字句。

封信到底还是给那个因为白血病高烧不退的孩子开了药，药费也收得很少，虽然他也一再说明只能尽量减少孩子的痛苦，但孩子的父母仍然千恩万谢。

那天晚上我做了一个梦，梦到一片苍茫的大海，海中有一个隐约的孤岛，有一个小孩子在岛上哭。

我努力地想看清那个孩子是谁，却怎么也无法靠近。

后来海浪高了起来，一波接一波像通天的墙一样将小岛淹没，我拼命地嘶喊着，想要救那个孩子，却连前进一步的力量都没有。

醒来的时候，天已大亮，全身湿透。

醒来后不久就接了个陌生电话，竟然是彦景城。

虽然我后来并不太愿意见到他，但犹豫了一下还是答应一起吃个午餐。

上午画了一阵绘本，然后简单收拾了一下出门打车。

彦家在C城素有产业，听说彦一的爸爸就是在C城出差时遇见了他的妈妈朱雪莉。

但我并不知道他们家具体投资哪块，只知道生意做得很大。

彦景城定的地点是中心商业区的一处咖啡厅，旁边就是C城最有名的5A级写字楼，他们的投资公司就在那栋楼里。

我在预约好的卡座坐下。

这个位置视野特别好，独居一隅，却又能从明亮的落地窗里看到全线街景。我暗想这大概是彦景城平时最喜欢的位子，倒是很符合他低调精致想事周全的风格。

服务生送来了菜单，我示意再等等。

过了没几分钟，就看到彦景城迈着不疾不徐的步子从外面进来，我抬手一看，暗抽一口冷气。正是约好的时间，一分不差，此人堪称踩点专家。

他穿着一身三件套的银灰西装，仍然是一丝不苟的老派风格，让人觉得安全。咖啡厅里暖气很足，他却并没有急着脱去外套，而是在我面前站定，很绅士地伸出手来。

“你好，程小姐，好久不见。”

好久不见。

我起身含笑回应，却在心里想起上一次见面，也是在咖啡厅里，那是我离开香港的前一天。

很利落地拿过菜单，彦景城开始点餐。

他并没有问我想吃什么，而是非常熟稔地点了这家咖啡厅的招牌品种，两份牛排套餐。

待服务生离开，他问我："我没有点错吧？我记得程小姐很爱吃牛排，黑椒口味，八成熟，这家做得很好。"

我点了一下头，又摇了一下头，想了一下还是说："彦先生一直有很好的观察力，但我除了牛排以外，也喜爱很多其他食物。有机会请彦先生尝试一下C城特色菜。"

有很好的观察力，也有过人的自信心。

所以不甘心任何一次失败的判断。

这就是我对彦景城的印象。

他干笑了一下，气氛有点尴尬。

我问："彦一还好吗？"

他微微眯了一下眼睛，干净的镜片后面有精光闪过。

"就像你看到的那样，他有好转，程小姐，这仍然要感谢你。"

"我没做什么。"我说。

"你知道的，他好转的意志力，来源于想回来找你。"他哈哈笑了起来，似乎很欣赏我的狼狈表情。

我深吸一口气。

"我不能成为他的药，彦先生，那是你们的幻觉和不负责任。"

"你能的，程小姐，只要你愿意。"彦景城带着浓重口音的普通话非常温和，但此刻听起来却有点刺耳，"你可以选择陪着他，我们会很感谢你。"

我不禁笑了起来。

"彦先生，我记得同样的对话，我们已经有过一次了。"

"是的，程小姐，我仍然是那样的请求，如果能够继续一直陪伴彦一，彦家愿意给你你能想到的最好的生活。"

我有些不可思议地看着彦景城的脸。

这个男人真是固执又冥顽。

“算了。”我叹了口气，喃喃自语道。

彦景城却没有听清，下意识地把身体探近了一点。

“彦家不能让你做彦一的太太，但是没有身份你也可以生活得足够好。程小姐，这是你改变人生的机会，据我所知，你回来后的工作并不顺利，我觉得这个交易你不可太贪心。”

真是忍无可忍。

我腾地站了起来，觉得这顿牛排肯定吃不下了。

“彦先生，我们还是不要再继续这个话题。”我说。

与此同时，另外两个声音响了起来：

“先生，您的牛排。”

“安之，小叔。”

端着牛排面露不安的年轻服务生。

像幽灵一样不知道从哪里冒出来的脸色苍白的美丽少年。

我心里无缘无故被揪了一把似的悬了起来，我说：“彦一！”

“彦一，你怎么在这里？”彦景城似乎有些意外，示意彦一坐下。

彦一却没有立刻听从他的小叔。

今天他仍然穿着一件连帽衫，外面罩了一件黑色的羽绒衣，看上去精神还不错。

大概是因为外面冷的原因，他又疾跑进来，嘴唇有着异样的嫣红，并且微微喘气。

咖啡厅里不少客人都投来目光。

彦景城似乎有些不高兴，站起身来，挥手示意服务生先退下。

彦一却一把拉住我的手，他的声音听起来有些波动，我甚至能感觉出他的手指在微微发抖。

“我知道你找她说什么，小叔，我说过了，我不会要她没有身份地陪着我，我不会要。”他抓紧我的手，指甲有些神经质地掐进我的皮肤，脸却是对着彦景城。

我意识到彦一有些异常激动，刚想给彦景城一个眼色，却见到彦景城一向波澜不惊的脸，也起了些少见的情绪起伏。

“彦一，不要闹了。”语气里明白地透出几分长辈意味的威吓来。

不是平常的彦一，也不是平常的彦景城。

彦一忽而冷笑。

他认真地看我一眼，又扭过头。

“我会做到的，小叔。我会要她为我穿上婚纱，执我之手，冠我之姓。”

这句话，他说得有些慢，声音也很低，悠悠的，但听在我耳朵里，却无异于一记惊雷。

击得我心脏都钝痛起来。

彦一，我受不起。

我有些慌乱地想挣脱彦一的手，他却死也不放。

那边彦景城却显然已经生怒，他用更大的冷笑声回击了彦一：“彦一，身为彦家的人，你的天真让我觉得可笑。”

“小叔，你为什么不相信我能做到。”彦一说，“是因为你当年没有为朱雪莉做到吗？”

在彦一轻描淡写地说出那句话以前，彦景城只能算是薄怒，他一向理智克制、精于计算，表面温和，对彦一的呵护更是胜过生父。

所以，当我看到宛若慢镜头般的一幕，彦景城情绪失控地一掌挥向彦一时，我根本没有反应过来，以为自己做梦。

惊人的声响后，彦一雪白的脸上瞬间溢出一片惊心的血红。

但那样重的掌掴，他竟然只微微摇晃了几下，旋即站稳，抓着我的手半分也没有松开。

我已经被这变故吓呆。

眼睛里所能看到的，只有彦景城和彦一的目光，在空中相撞。

像无数冰淬的利箭，从宇宙空茫的黑洞里飞散而来，每个人都无处躲避，冷气森然。

（第一部完）

[程安之的小情书]

# 就算世界再无童话

在那么长那么长的日子里，我一度以为，你的记忆里，早已没有了我的一星半点痕迹。

而我的故事与风景，却满满的，全是你。

我清楚地知道，我的一生，不会再遇见那样的一次爱恋，在九月的桂花香气与繁盛阳光里，我的每一次呼吸，都仿佛因你。

每一个人一生只有一次机会彻底燃烧。

而我遇见你。

我在梦里无数次地走回那条长长的校道，古树依然静谧，女生们犹豫着是用手中的零用钱换得一本心动的漫画书还是可口的冰激凌，而男生们脚下带着足球，嬉笑声爽朗。

许多年少的心事在晨风里干净如蝴蝶翩飞，羞怯慌张无法言说。

你从小湖边漫步而来，白衣的少年仿佛带着树叶的香气，而小湖边垂柳依依。

你干净柔软的发挡住眉间的俊逸，远远看去表情温柔而宁静。

我看着很多人和你打招呼，我抱着课本在树后或墙角偷偷地张望，手心里全是汗水。我多么希望我也可以大方地走上前叫你的名字，而你微笑的时候，会看到我。

却又怕被你看到这小小的心事，会羞愧得无处可逃。

阳光那么清透，时光那么美好，我一次次在异乡的星夜里回忆着那样的心跳睡着。

你是仲夏之梦。

你是九月繁花。

你是我心甘情愿的沉沦。

你是我一生一次的勇敢与倔强。

所以我走了那么远的路，看了那么多云。

还是只想和你在一起。

七春说，她不能理解我怎可以做到这般地步。

在毫无希望的情况下，在茫茫人海，在春夏秋冬，像个疯子一样固执地想与一个幻梦重遇。

其实我真的没有那么伟大，我其实是懦弱，你住在我的回忆里，住在我的心跳里，我根本不知道如何放弃你，更怕放弃以后，就从此失去爱的能力。

爱过的人，是不是都有过那样的心情?

你看天空，天空晴朗干净，云朵有时会像城堡，有时会像飞机；

你看雨滴，雨打石板地的声音像竖琴一样动听，星星拉起了幕帘，躲起来不出声息；

你看那街上行走的人群，有的亲密相爱，有的白发执手，有的微笑沉思，而孩子们总是无忧无虑；

你看那果树的果实娇艳沉甸，田野或金黄或吐翠，哪怕是夏日午后空气潮湿沉闷，你也会欣喜地发现暴雨前的空气里有一只红色蜻蜓。

在爱着的时候，整个星球闪闪发光，温柔漂亮。

这就是你给我的珍贵礼物。

从你出现的那一日起，我就因了爱你，每一次笑容、每一滴眼泪，都有温柔、牵挂和欣喜。

再后来，我找到了你。

再后来，你也爱上了我。

一切都如想象。

分毫不差。

你可能不知道，重新见到你的那一刻，我偷偷地、偷偷地在心底，重重松下一口气。

封信，谢谢你及时赶到。

就算世界上再无童话，但是，有你成全了我一生最美的梦。

我爱你。

[ 封信的小情书 ]

# 我们的故事早已开始，在九月繁花里

也许每一个人都会希望，这个世界上存在一个这样的人，
她牵你的手，
和你撒娇，
为你鼓掌，
也为你拭泪。
就算整个世界对你崩落，她也毫无疑义地站在你这一边。
你回头，她总在。
但我曾经以为，那样的奢望，只会在天真的童年出现。

我遇见了你，
你一直觉得自己不够美好，充满惊慌与卑微，
但是，你即使那样害怕，却守在我的身后，不曾后退。
人们总是崇拜英雄，
惊喜于他们随时随地的光芒，
但是最真实的事情永远是我们都会恐惧都会失败，
有时受尽打击，有时无能为力。
你说我是英雄，其实我不敢告诉你，
如果不是你，
你傻傻地倔强地站在那里，我一回头就能看见你，
那么，或许，
我早就做了命运的逃兵。

我其实拙于言辞，并不曾说过，
你很好，
你简单的光让我目眩。

我想，也许在我自己都不知道的某个时候，你已经偷偷摸摸跑进了我的心里。

我们的故事早已开始。
但是我迟到了。

对不起，
以后我会加油。

# 后记

很长很长的后记

这个后记只是闲聊它没有标题

很多人看《小王子》，都记住了那只等爱的狐狸。

“麦田和我没有任何关联，真令人沮丧。不过，你有金黄色的头发。想想看，如果你驯服了我，那该有多好啊！小麦也是金黄色的，那会使我想起你。我会喜欢听麦田里的风声……”

狐狸这样说。

很多时候，我们的人生都会像狐狸一样，真诚地等待着一个爱他的人，希望把自己交付，被驯养，被依赖。

我们用了很长很长的时间等待和寻找，然后用了很短很短的瞬间心动和喜欢，却更多地用了余下的光阴去怀念和感伤。

终究面对的是麦田的颜色而不是小王子的笑语，谁说狐狸没有感伤。

只是你来过，终究世界不一样。

而更让我吃惊的，其实是关于那朵被留在了小小星球上的玫瑰花。

故事里的玫瑰花是这样的。

她用了很多心思打扮自己，把每一片花瓣弄得整洁美丽，然后在一个早晨悄然开放，可是她却打着呵欠故意说：“哎呀我还没睡醒呢，我的花瓣还乱糟糟的……”

她如愿得到了小王子的惊赞：“你多美啊！”

之后的日子里，她用她的方式娇滴滴地折磨着这个喜欢着她照顾着她的小人儿。

“给我来点水吧。”

“我可是不能吹风的，我需要屏风。”

“我可是有四根刺的，连老虎爪子都不怕呢。”

她虚荣着、骄傲着、做作着。

她有时会夸张到说了谎，被发现了就用装病来让他内疚。

最终小王子离开了她。

而在长远的旅行途中，最让人感动的是，小王子渐渐明白了玫瑰曾经的矫情，都是因为爱。

“我们不应该根据一个人的语言，而应该根据一个人的行为来判断她的心。她那些可笑的伎俩背后，是对我的柔情。”

她用她的方式想展示自己，留住他，让他爱她，因为她已经爱上了他。

但他们都太年轻，她用了可笑的方法，而他却又看不懂她的方法。

所以最后小王子回去了，即使对于回去的路毫无把握。

他终于还是选择了回去，哪怕可能他再也找不到她。

小王子与玫瑰花之所以让我震动，是因为让我感觉到如此现实。

很多时候王子和公主终于相遇，但故事其实刚刚开始。

即使是用力爱着对方，也可能无法让对方接收到正确的暖意，比起永远幸福地生活在一起，更多的结局是流着泪带着伤放手。

我们都是生而为个体的人，我们从来不可能对另一个生命的想法洞若观火。

我们会凭借自己的想象和经验去判断对方的举动，这种判断偶尔幸运会是对的，但多数时候可能为错。

就像小王子，在爱着的时候，他看到的是玫瑰的矫情与谎言，而离开后，才想起她的香气温柔地覆盖了他的整个星球。

所以，在《星星上的花》这个故事里，很多人问，为什么是程安之得到了封信的爱？

我在这个故事里，其实是假设了一种理想化的可能，那就是“信任”。

程安之对封信的信任，几乎是信仰一般坚持着。

谁能在八年不得消息的情况下，依然毫不动摇地相信他依然美好？

谁能在知道他已婚并离婚还有过孩子的情况下，从未有过一句质问和猜疑？

谁能说出“只要是你，随时随地，我都会如约而至，赌上一生运气”？

故事里的程安之就能。

所以只有她能够打动完美的封信。

我承认我设定的人物，其实多少都有着一些偏执。

比如格外完美，或者格外痴情。

所以常有人问我，真的有这样的人吗？

其实是有的，做到这一步，又恰好被正确接收，那是很少的几率。

但有就是希望。

我想，狐狸可能是一种更温暖更理想的存在，而俗世中的更多人，其实只是那朵星球上的玫瑰花。

肤浅而真诚地爱着。

但坚持，大概是我们在找到正确方法表达爱之前，唯一能做对的事情了。

所以这个故事叫《星星上的花》，就是想表达即使有诸多世人眼里的不完美，但在爱你的人心里，你始终是唯一的一朵花。

如果这是你的爱情信仰，那你的爱情终得圆满的机会，大概也就加大了。

写这个故事的过程里，我的生活又发生了不少变化。

首先是从原来工作了十年的公司辞职，和一大群朋友一起跌跌撞撞地顺着生活的急流成立了新的公司，向未知的新路出发。

接着曾在出版《小情书》这本合集时，在后记里提到过的，那一场可怕的病，竟然在这本书交稿前再次复发。

而且在我带病整理完所有文稿和大纲后，发现这个故事几乎不可能用一本书的篇幅讲完，之前教过那么多人写长篇小说，结果自己还是失控了。

不过这一切困难变化都无法阻挡大家对这个故事的期待，一直陪伴着的小伙伴们的鼓励，网络上惊人的搜索率，论坛和微博里长久不息的期待，业界认识和不认识的很多前辈亲自联系推动这个项目的进展，疯狂喜爱它喜爱封信和安之的人们给了我巨大的力量。

最终我决定一边治病一边把它写完，这是第一本，而第二本终结篇争取2014年上半年上市。

在第二本里，封信和安之会在各种困难和挫折后，最终牵手。

开始就承诺过这是一个圆满结局的故事，所以请一定把前面的心酸、难过、忧愁，留到第二本的结局里，让拨开云雾后的晴天来治愈所有的担心。

还有非常甜蜜的番外。

总之在这本书里大家悬着的心，愿在下一本里，被幸福稳稳地填满。

最后，愿喜爱这个故事的人，都能得到故事里一样的爱情结局。

别怕自己犯傻，别后悔自己冲动，所有的存在都有它的道理，而你要看到阳光照耀的山坡，不要一直在背阴的那一面孤独哭泣。

一生至少一次，告诉那个人，我不知道别人的星星是什么样子，但我的星星上只有一朵花，是你。

所有为爱而生的天真与卑微，无须羞愧。

烟罗

2013年11月13日

我也想像那些女孩一样，亲手送他漂亮的圣诞礼物，对他说新年快乐，看着他的眼睛，对他微笑。

可我不敢。

我不漂亮、不聪明，甚至不勇敢。

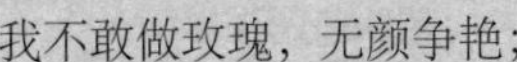

我不敢做玫瑰，无颜争艳；

不敢变闪电，劈开大地；

但是这样的我，竟也存着小小奢望，希望我也曾存在于他的人生里，哪怕只是一个他自己都不知道的小小片断与傻傻回忆。

很多年后我想起这一段，才明白原来世间事从来没有完全一样的道理。

哪怕是同样流水线上印刷出来的书，这一本和那一本，因为你拿起的时间不同，它们就不一样。

可是，哪里不一样，只有你自己明白。

我一腔孤勇，一生只用于一处。

天涯海角，永不言弃。

其实他一直渴望着有一个人，能够岁月经年仍拉住他不放。不许他堕落，不许他沉沦，不许他随波逐流，不许他就此沉睡。

我是何其幸运，今生得以遇见你。

我又是何其不幸，与君仍是路人。

你爱着的人，他存在的地方，整个世界都在发光；他失落的时候，整个世界都会下雨。

能够避开的，就不是命运，能够放弃的，就不是爱。

我不管前方是风是雨还是晴，我只知道，如若是你，随时随地，我会如约而至，哪怕赌上一生的运气。

喜欢一个人，喜欢到几乎看不见希望的时候，只能靠着一些自己给予自己的暗示，来证明自己还在继续坚持着。

你若不曾这样爱过一个人，大抵不会明白那样的微妙。这世间有千万人，但唯有那人，可随时随地，让你幸福惶恐到立时可哭。

我不是小女超人，我无法拯救世界，我的愿望只是好好去爱一个人，就一个人，然后自私地用尽全力地守护他一个人的温暖快乐。

他总是让我意外，但他从不让我失望。

从少年时代起，他就是纯美的杏花春雨，犀利的东风破晓，宁静的光芒万丈。

封信，
我不知道别人的星星是什么样子，
可是我的星星上只有一朵花，
是你。

我能看见云的飘，也能闻见花的香，但突然间，一切寡淡，天地间只剩下明亮的你。

那时我完全不知道爱的意义，但已经在黑夜里全力向前奔跑。

我想了很久，想你并不是我一个人的花，我只是途经了你的盛放。可是你知道吗？为了那途经的一刻，我好像已经等了千年万年。

我原以为青春是慢慢结束的，但原来结束只在一瞬间。在那个人离去的雾霭里，青春再没有张扬的笑，也没有肆意的痛了。

如果说，当时惊艳，只因见识少。那为什么那么多年的时光，我的城池从狭小荒芜到繁华壮大，城中住的人，却仍然只有一个你。

当一个人爱上了某个星星上的一朵花，她会发现，整个夜晚都像花园般为她绽放。人只要爱着，就不会感到疼痛的，所以你看，你从未带给我伤害，是你让我感受到浩瀚星空。

封信，有时候我想，这个世界上，会不会有另外几个我，也这样爱着另外几个你。

如果有的话，我多希望他们都是圆满结局。

谢谢你邀请我走进童话里，就算明天会醒拥有过又有什么关系。你带给我一直都是满园香气，这一路哪里有过对不起。

爱情里，其实是允许你爱的那个人，给了你嚣张的权利。

曾经他若不许，你就连埋怨也不敢轻易。

有多少次长大后，我都曾回头苛责十六岁的自己，不够美丽，不够勇敢，不够优秀。但现在我终于知道，即使是那样的我，也曾被我心爱的少年留意过。

小小的姑娘，站在爱情最初的的入口，燃尽孤勇。

#《星星上的花》系列

XINGXING
SHANGDEHUA

**2017 甜宠纪念册**

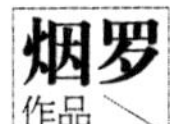

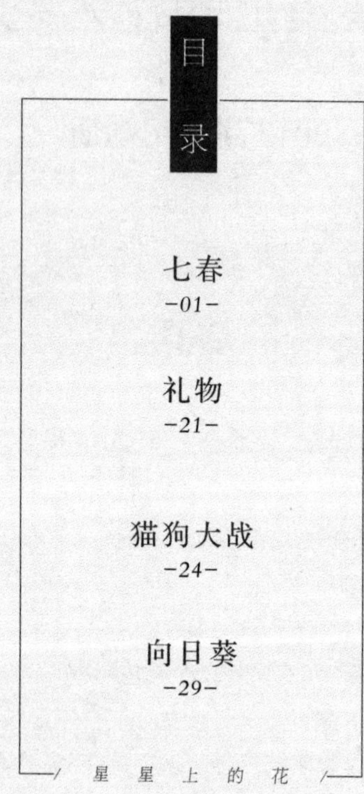

# 目录



星 星 上 的 花

## 楔子

总有一个人要先走

七次的七。

春天的春。

为什么叫七春?

大概是因为我妈发了七次春才生下了我吧。

什么叫发春?

小曾岑，姐姐不能毒害幼苗，所以不能告诉你。

哦，城市套路深，我要回农村。

……哟，学坏了你!

还有，别老是自称我姐，你才不是我姐，你是孟七春。

那个清瘦颀长气度优雅的身影，突然间映入眼帘的时候，孟七春的心里仿佛听到“啪”的一声爆裂，有什么东西一片片碎开般。

竟然有点儿疼。

她以为自己已经皮厚肉糙到刀枪不入了，原来并没有。

连她自己也无法欺骗自己，那微微的痛楚里，竟还含着说不清道不明的惊喜与期待。

是他，曾岑。

是昨日里熟悉的眉眼，依然微微一笑却实际拒人于千里之外的表情。

偶尔抬一下目光，眼底深处都是看不清的云蒸雾绕。

记忆如细碎阳光，突然以失控的姿态疯狂涌入脑海。

“孟七春，你站住！”年轻的男人压抑而愤怒地低吼着，就在身后不远的地方，他站在那里，不肯再追。

“拜拜啦，小曾先生。”

她故作洒脱地挥挥手，把大大的红色双肩包甩到身后，迈开了脚步。

不回头，就是不回头，这世间，总有一个人要先走。

“孟七春，你要是敢走，我就立刻去包养一百个女人！”

天知道，他曾岑平日里是出了名的优雅君子，今天怎么能够在这个粗鲁狠心的女人面前，口出妄言仪态尽失至此？！

“噗！”七春笑出声来，“别忘了让她们每天站在你的门前，站军姿列队报数给你听啊！记得拍照发我！”

其实，那一刻，她第一次给人讲笑话时流了眼泪。

然而，她想，这不能被他看见。

所以，最终她真的没有回头。

那天过后，一晃，已三年。

踏进那巨大的阶梯教室时，正是兵荒马乱的状态。

偌大的空间，原本被隔离绳划出明确的区域，但此时已经凌乱。

年轻气象专家曾岑来克兰大学为相关专业的大学生做职业演讲，此刻演讲已毕，工作人员正在退场，无数男生女生眼里闪着星芒呼啸着前去索要签名。

在严肃的学术领域有这般追星似的狂热气氛倒不多见。

大概是因为，主角本身就像偶像剧里走出来的人物一般，具有天才式的优秀，且丰神俊朗，如风如树。

七春总算明白了什么叫削尖了脑袋往里钻。

当她终于在一众不打到酱油誓不休的学生中挤出一颗乱蓬蓬的脑袋时，那一身西装的精致男人已经转过了身，正准备从后门离开。

他听到台下蓦然变大的激动叫喊声，便转头朝人群轻轻挥了挥手，引起一阵骚动。

七春身边有个女学生尖叫着哭了出来。

惹得七春诧异相望。

曾岑的魅力，有这么大?

而曾几何时，他只是那个一脸无赖和怨念跟在她身后的胖乎乎的倔小孩，也是后来赌着气不肯再挽留她的无情初恋情人。

而今，三年过去，他似乎又有些不一样。

隔着不远也不近的距离，七春忽然间有些心虚。

她匆匆前来到底是什么目的？难道要隔空呼喊一声他的名字？如果此刻要相见，当初又为何狠心离开？

只是，三年来，走遍无数风景，却仍然如同生活在厚茧里的自己，偶一抬头时，看到那个熟悉的名字，出现在学术报纸上棱角分明的脸，漠然地、冷冷地、如同注视着陌生人一样看着她时……

她的双脚，已不受控的向这城飞奔。

而后续一切未知。

此刻才觉害怕。

身边的人流看到曾岑即将撤退，更加疯狂起来。

用力的推搡和尖叫中，七春头昏脑涨地一脚踩上了走道边摆着的一个塑料整理箱。

那整理箱不知是谁的物品，仓促间，她刚踩上箱盖，只听到难听的“咔嚓”一声，她发出了短促而尖锐的惨叫。

早已用旧的塑料整理箱盖上原本已经有一道裂缝，经不住一个成年人的踩踏，壮烈破碎了。

她一只脚陷进了那个破洞里，锐利的断口瞬间像刀一样划下去，挂得裸露的小腿上一片鲜血淋淋。

那声明显区别于花痴尖叫型的惨叫声，一时间划破空气，竟起到了万众屏息的效果。

七春瞬间不知所措，生生迎着无数人的目光，索性豪放一笑。

她麻利地抬起她的两只爪子做好汉挥拳状，骨子里的女神经气质咕噜咕噜往上冒。

臣妾控制不了自己哇……

各位乡亲父老，小女子初到贵宝地，借个人气卖个艺哎……

曾岑远远地站住了。

隔着层层人涌，只须一眼，他就认出了她。

七次的七。

春天的春。

孟七春。

不期而至的一阵剧烈抽痛感令他的指尖也微微颤抖起来。

耳朵里蓦然响起的巨大轰鸣声，令他差点失态。

七春又轻车熟路地双手朝人群比了个心形，目光神气活现地扫过人群，突然定格在曾岑面无波澜的脸上时，表情明显僵了一僵。

于是有些讪讪地把手放下。

是了，她也有了些许变化，居然知道害羞，知道思量自己的言行是不是合适。

只是，仍然没有太大进步。

还是那么莽撞冲动，那么夸张搞笑，那么理直气壮，那么固执狠心。

这些奇异的特质，在她的身上，结合得竟然如此自然。

从她的每一个灿烂笑脸，每一寸光滑肌肤里，不讲道理地散发出来，组成了独一无二的她。

或者，这就是多少年来，她牢牢占据着他人生唯一城池的原因。

他对她的迷恋，如一场永不熄灭的漫天烽火。

曾岑突然转过方向，径直向着七春走去。

他一动，身边的工作人员也跟着移动，急急拨开一条道来。

七春有些意外地看着曾岑走过来。

她以为他会有所避讳，然而，他竟然像一把出鞘的剑，不犹豫，也不停留。

他好像变了好多。

没有变的，是他依然耀眼，走过之处，仿佛整个空间都被照亮，而她在他面前依然像个搞笑艺人，一只脚还卡在破碎的箱子里，无处躲藏。

曾岑在七春面前站定。

他低头看她的脚，而她有些怔怔地看着他的脸。

“曾岑……”

她发现，这一瞬间，她忘记了疼痛。

而曾岑，在听到她的轻声呼唤后，抬起目光。

他的眼里，是冷冷的夜，或遥远的海。

七春忽然有些笑不出来了，她没有哪一刻，比此刻更希望曾岑回应她。

一片花瓣从天空中飘落需要多少时间?

也许是五秒钟，也许是一生的时间。

曾岑默默地转身。

他竟然就那样走了。

自始至终，未开一言，仿佛只是体贴的关心了一下胡闹受伤的某个学生，秀了一下慈悲，说不定明天还能出个八卦新闻。

原来，看着一个人先走的背影，是这么疼。

七春终于明白，当年她留给曾岑的伤害，有多么深。

她无法再欺骗自己，在见到他之后，所有的狠话，都变成了谎言。

他曾爱她至深。

而她伤他至深。

曾岑坐在公司安排的轿车里，闭着眼睛休息，看上去毫无破绽。

“曾老师，您有什么不舒服吗？”

年轻的女实习生何青苗关心地探身询问。

她进入研究所一年来，对这位本专业传说中史上最年轻的研究员下足了功夫，自认为对他了解颇深。

因此，在他反常的走下讲台去查看那个受伤的姑娘时，她敏锐地感觉到了曾岑周身曾经散发过一触即发的狠厉。

这不像是平常的曾岑。

平常的曾岑，是没有人情味道的淡泊天才与工作狂。

“等等，停车。”

僻静角落处，曾岑深深地呼吸，调整着自己纷乱的心绪。

打发走了所有人，他又独自回到了这所校园。

他想，以孟七春的脾气，估计刚才气得够呛。

只是，他再怎么疼痛，也不忍心让她难过太久。

毕竟，他等了这么久，终于等到她愿意回头。

可是，她真的是来找他的吗？

如果不是，他还能再次面对重逢的狂喜后那离别的剧痛吗？

他，已经不再是当年任她调戏任她摆弄的小小少年，这一次，他若出手，她便别想再逃。

他不断地深呼吸再深呼吸。

她怎么样了？

她的伤，要不要紧？

校医已经处理好了吗？

在他稍微清醒过来的时候，他发现自己已经在朝着阶梯教室飞奔。

一直到阶梯教室里的人全部走光，几个校工开始打扫现场，七春仍然坐着没有动。

她晃了晃脑袋，看了看自己的右腿上缠着的白色纱布，苦笑了一声。

革命尚未成功，同志已经负伤。

她这是在干吗？

看来，曾岑这一次，是决定不要她了。

是她自己的选择，怪不了他。

大概，自己是被封信安之的幸福故事迷惑了双眼，才会相信，命运也终究会为自己安排一个童话。

就当，这次来到这里，是为了看他一眼吧。

曾岑喘着气站在阶梯教室门口，已经落了锁的大门前空无一人。

孟七春又消失了，就像三年前一样。

## Chapter1 房东与警察

我的心曾悲伤七次？现在怎么租个房子都要考核文化啊？

“租个房而已，你至于和挑媳妇似的，还得面试吗？”

七春瞅着眼前高大帅气的潮男青年，没好气地吐槽。

决定来到加城寻找曾岑以前，她想过许多种他们重逢后的台词与可能，然而，并没有一种，是曾岑竟然装作不认识她。

所以，在出发以前，她已经开始在网上挑选租房，做好了在加城住一段时间的打算。

而今曾岑这样的态度，她却也不能掉头就走，况且茫茫人海，她也不知道要去哪儿。

索性还是按原计划住下。

她来之前就看中了一个房源，可是极品房东竟然要求她先在麦当劳见面，说面试合格才能带她去看房。

反正被曾岑无视她都忍了，还有什么不能忍的。

她现在就像一个被戳破了的气球一样，没什么脾气。

她默默地安慰自己，这是好事，也许修行修行，哪天给她挂串念珠她就能自称“贫尼”。

云商冷眼打量着眼前的年轻女人。

和现在流行的小清新风格不同，她是艳丽耀眼的，红唇如焰，微卷的长发携带着一种浑然天成的风情自由起伏，身材凹凸有致，几乎可以称得上惹火。

然而，这样一个尤物，在她的身上，却看不到一点点风尘的影子。

她甚至是明亮的、天真的。

从她放松调皮的手指，乌黑灵活的瞳孔，嘴角微扬的不耐，都能看出来。

这是一种非常神奇和复杂的混合气质，已经当了几年警察的云商，很自信自己看人的眼光。

他当即推断这个女人在生活中应该很受欢迎。

她有着令人无法回避的明亮温暖。

“房子也是有生命的，这套房子，是我亲自设计装修的，我当然希望住它的人，是合适它的人。”

云商喝了一口冰橙汁，慢条斯理地回答七春的上一个提问。

这一点，七春倒是赞同的。

否则，她也不会在茫茫信息之海里，坚定的相中了这个男人出租的这套——从照片上看，它时尚、简洁、明媚、焕然一新，还有些贴心的小文艺。

“我叫孟七春。”她递过去自己的身份证，又脱口而出补充道，“七次的七，春天的春。”

云商随口接话：“哦，我曾遇见七次春天？和纪伯伦的那首《我的心曾悲伤七次》有些类似的感觉。”

七春趁他低头看她的身份证时，嘴角偷偷抽搐了几下。

我的心曾悲伤七次？

现在怎么租个房子都要考核文化啊？

幸好她还没有说出“发了七次春”这种话……

云商仔细看完了七春的身份证，拿出了自己的证件夹，精致的皮革和小小的LOGO显示出证件夹的出身不凡，然而他只是从中抽出了一张自己的工作证。

“你好，我叫云商，我是一个警察。”

七春被刚准备下咽的柠檬水呛了一下。

她惊愕地抬起头来，重新打量对面的人。

警察？

她的房东是个警察？

看那一身价值不菲的衣物、名牌包夹、潮男打扮、帅气外表……

原来，现在的警察都这么有钱，颜值还这么高？

真是让人……

太让市民没有安全感了。

云商并不介意七春的目光。

反正每次当他报出自己的身份的时候，都会收到类似的反应，只是有些人含蓄，有些人直接。

可他偏偏为自己这个职业身份而骄傲，乐于炫耀。

他知道自己一点都不像一个传统警察的样子。

他家境优越，又是独子，原本家里长辈死活不肯让他走这条辛苦危险的路，然而，他却在这份工作里获得了无穷的挑战感与乐趣。

从入行的毛头小子到今天的优秀警员，谁也没有想到，他竟然真的坚持下来了。

“抢包啦！抢包啦！”

一声尖叫忽然在麦当劳外面响起。

紧接着，巨大的玻璃门外蹿过一道人影，连带着惊呼四起，有人被冲撞倒地。

一个明显体重超标的富贵大妈气喘吁吁地追着，这距离眼看已经没有希望。

云商几乎是下意识地从座位上一跃而起，从麦当劳的另一边门冲了出去。

在他奔跑的时候，他隐隐感觉到身后似乎有人急急跟随，但事态紧急无瑕回头。

他朝着已经越过了斑马线朝着街道另一边猛冲的抢匪追去。

他对自己的速度一向很自信。

不料抢匪也是有备而来，过了街，竟然有一辆摩托车正等在那里，看来是接应的同伙。

云商暗叫一声不好。

果然，抢匪冲过街道后，立刻跃上了那辆摩托的后座，眼看就要提着那个大妈的包逃之夭夭。

就在摩托轰鸣，嚣张地顺着来路欲冲过云商的身边时，忽然，一个身影不知道从哪里横空出现，手里还举着一件重型武器，猝不及防间，狠狠砸向上了那辆摩托！

说时迟，那时快，摩托车主和抢匪万万没想到一片黑影会从天而降，气势惊人，于是情急间猛打车头，却仍然失去了平衡。

只听一声巨响，连人到车摔倒在路中央。

一时间，四处响起的暴躁汽车喇叭声、云商呵斥“不许动”的声音、抢匪的惨叫声、路人的欢呼声，此起彼此。

事情一气呵成发生后，人们才看清，建功立业的那件重型武器，竟然是麦当劳里一把儿童座椅。

只是，此刻它已经悲惨的散架牺牲了。

七春轻松拍了拍手，暗忖自己果然宝刀未老，在心里给自己点了个赞。

沿街商铺的保安和路人已经冲了过去，帮助云商将那两个人制伏。

七春看云商掏手铐的干净利落动作，不禁对自己想要压一压房租的念头产生了质疑与动摇。

警车很快赶到，将两个抢匪押上了车，云商和当值警察说了几句什么，就径直朝七春走了过来。

“刚才是你扔的椅子吧？”

经过一番追逐，云商的脸上已经布满了晶莹的汗珠，但他的面色却和刚才在麦当劳里判若两人，几乎可以算得上冷若冰霜。

七春没明白他话里的意思，笑嘻嘻地答道：“就不用给我发好市民奖了，我这人生来就有侠骨柔情……”

云商的脸色更难看了一点。

看来智商短缺就会有乱用词语的坏毛病。

“谁要你多管闲事！”

“什么？”七春原地奓毛，“要不是我扔椅子，那两个人可能已经跑掉了！”

“你这样随便冲出来，妨碍警察办公，有可能后果不是跑掉两个抢匪，而是多出几具无辜的尸体！你怎么知道那两个人手上没有枪！”云商一掌击在身边的墙上，怒斥道。

“不至于吧？抢个大妈的包还带枪？这么菜？”

七春显然偏离了重点，满脸脑洞大开的惊诧表情。

云商一口气梗在胸口，吞不下去，吐不出来。

“跟我走！”

“做什么？我扔坏了椅子我赔，不用抓我去警察局吧……”到了这一步，七春承认自己还是有点㞞的。

毕竟，她只是想租个房，并不是想进个牢房。

“去看房子！”云商没好气地迈开了腿，走在前面。

“哎，你同意把房子租给我了？”七春乐了，赶快跟上。

“房租，你可以杀价！”

“什么？！”

七春一蹦三尺高，双眼放光。

她乐颠颠地想，来到加城后，自己终于开始转运了。

## Chapter2 男友疑云

你看那胸！那腿！真是尤物啊！哎，我说你不要生气，
我这个人就是对美的东西，会产生真诚的赞叹。

曾岑站在落地窗边，默默地点燃了一支香烟。

看着白色的烟雾袅袅上升，最后消失在逐渐变深的夜幕里，他的心，却仍然止不住地躁动。

孟七春去哪里了？

她还在加城吗？

七春回国后，就换了电话号码，不再与他联系。

但是，作为多年的老邻居，他还是通过种种“不经意”的方式，弄到了七春妈妈的电话号码。

他知道，七春深爱着自己的妈妈，那个家，对她来说，就是这个不羁的风筝的线头所在，牢牢拴在那里，无论她走得多远。

每当想念她，他会掏出手机看一看那个电话号码。

仿佛就看到了自己与她尚未完结的缘分。

在失去她所有消息的那些日子里，获得一点点温暖的安慰。

但是今夜，第一次，他终于无法再控制自己的手指，轻轻按下了拨出键。

电话响了几声，就被接了起来。

与他这边的清冷寂寥截然不同，电话那边的世界，波澜壮阔，烟火气十足，就像七春的妈妈，永远是一道火树银花的风景。

“三筒！哎哟等等！我吃！”

一个高亢的调子，他听出那正是七春的妈妈孟阿姨的声音。

“谁啊？快说！忙着呢！”

“孟阿姨！”他也不得不提高了声调，冲着话筒里喊，“我是曾岑！”

手里的香烟燃到了手指，忽然一痛，他抖了一下，迅速把烟头摁灭在烟灰缸里。

“谁？曾岑？你找小春？小春没回来！哎哟你等一下，不要趁我分神看我的牌！”

孟阿姨显然战况正酣，全部身心都扑在了牌局上，完全无法分心来体会他是“真诚”还是“虚伪”。

“您能告诉我小春的电话吗？我找她有事儿！”

曾岑觉得自己现在冲着一部手机大喊大叫的样子丢人死了，但是他真的很怕孟阿姨随手就按掉电话。

那会掐掉他此刻唯一的路。

幸好，孟阿姨语速飞快地报出了一串号码，然后气吞山河地大喊了一嗓：“和！”

电话那边，随即陷入一片安静。

曾岑苦笑着把手机从耳边拿下，看了看，随手在书桌上的摊开的备忘录最前面一页的白纸上记下刚才那个号码。

这才长长地舒了一口气。

发现自己的手掌心，竟然全是汗。

而电话那一头，挂了电话后忙着收钱乐翻了天的七春妈妈，忽然想起了什么，一拍大腿。

“哎哟，刚才是不是曾岑给我打电话？是原来曾明教授家那个屁孩子？我家小春和我说不许告诉他自己的电话的啊？”

她一手拿钱，一手猛地捂住自己的嘴。

朝几位大眼瞪小眼的牌友嘿嘿一笑。

“算了算了，这局姐姐就不收你们的钱了，等我家小春回来，不许和她告状！听见了没？”

大家得了好处，自然纷纷点头称是，七春妈又乐呵呵地开局了。

“所以，你买了两套门对门的房子，一套自住，一套放租？”

七春觉得自己再一次被颠覆了三观。

现在的警察，为什么这么有钱，这么有型，这么……

没安全感，哼。

云商心情已经大幅度好转，就一笑答道：“对啊。”

他也懒得解释。

靠他那点工资当然是买不起这市中心的两套房，可是，他爸他妈有钱，他是富二代啊……

“那以后，我的房东就住在我对面，随时可以检查我有没有损坏家具电器什么的？”

七春深深担忧。

“也对。”他谢谢她提醒了自己。

“变态……”七春在身后卷着舌头暗诽了一句，当然不敢大声，要知道，云商还没在那份价格诱人的租房合同上签字呢。

“那咱们，就快点进房吧！”

“哦，你这么急迫啊。”云商从包里往外掏合同。

七春冷哼。

从冷面警察面具切换到了浪荡公子哥面具的云商，真让人有点消受不了呢。

算了，她不和钱包计较。

“咕噜！”肚子叫了一声，七春放下笔，这才感觉到饿。

刚才在麦当劳就喝了点饮料，水在身体里循环了一周，此刻更加增进了饿感。

她有点窘地看了看云商，后者仔细确认了合同后，小心地收进包里，抬头对她说：“一起去吃饭吧。”

七春想，也对，他都给自己降这么多房租，明显低于市场价，自己怎么着也得表示一下感谢。

于是她的豪放本色尽显：“我请你吃吧！庆祝咱们友好结盟！”

云商眉目舒展。

“吃什么？”

“那个……这附近有没有面馆？我请你吃面！”

一碗火辣劲爆的面条下肚，七春满血复活。

“不过，真的要谢谢你，没想到来加城第一天，就这么顺利。”她由衷地说。

云商默默喝汤。

七春无趣地闭嘴。

好吧，如果被初恋情人无视，以及遇上抢匪也算顺利……

那她的确顺利。

“去看电影吗？今天好像有好莱坞大片上映。”云商突然没头没脑地说。

七春顺着他筷子头指的方向看去，看到路边巨大的电影海报，竟然是她一直想看的某部续集。

“好啊好啊！”

清什么行李，要什么休息！让那些都先见鬼去吧！

她孟七春，可是为世界正义而活的！

电影院，英雄们，她来啦！

云商买了票，没等一会儿，两人就端着可乐爆米花排队进了场。

全场灯光暗下来的时候，七春突然觉得有点儿不对劲，周围怎么都是成双成对的虐狗一族？

男的搂着女的，女的靠着男的，每个人的线条都影影绰绰呈现出波浪型。

只有她和云商像两棵笔挺的树一样特正直地端坐着。

好像气氛有点不对啊……

难道这是情侣专场？

七春扭头看了看身边的云商，干笑了两声。

云商惊诧道：“你做什么？”

七春指指大屏幕上刚刚出现的女主角，认真地说：“是不是身材超辣？我特喜欢她，你们男人看着她都该喷鼻血！”

她声音大了点，旁边的一对情侣转过头来看着他俩偷笑。

虽然看不清，但想必云商的脸是有点黑了。

七春又解释道：“你看那胸！那腿！真是尤物啊！哎，我说你不要生气，我这个人就是对美的东西，会产生真诚的赞叹。”

黑暗里，同时响起了几声没忍住的笑声。

云商有点后悔自己的提议。

电影正式开始，七春终于老实了下来，全心投入了剧情中。

可是，没过多久，她的手机突然振动了起来。

她看了一眼，是一个陌生号码，于是按掉。

可是对方不依不饶，像是有着能把地心钻个洞的固执劲儿似的，又打了过来。

七春只好把头伏低一点，在满电影院的重型机车轰鸣、男主角怒吼、楼房坍塌声里，她居然清楚地听见了那个声音，令她几乎不相信的声音。

“孟七春，你在哪儿？”

她的指尖一下子变得冰凉冰凉的，但嘴角却不由自主地往上扬了起来。

一瞬间，她已经想明白了他是怎样找到自己的电话。

“你是谁？”

她故意的。

谁让他几个小时前还在装作不认识她。

“孟七春！”

对面的人咬牙切齿，叫她的名字，像是一个字一个字从胸腔里往外蹦。

“不说我挂了啊。”

哼，就气他，谁让他气得自己现在心口还在微微作痛呢。

云商终于忍不了了。

他伸手拍了一下七春的肩，压低声音警告：“专心看电影，你吵到别人了！”

七春随手拂开他：“好啦，就挂。”

再凝神去听时，电话那头，突然没了声音。

而后，就是挂断后的长鸣。

曾岑陷在深灰色的沙发里，整个人都像被霜打过的茄子，既萎靡，又愤怒。

她在看电影？

她竟然在和一个男人看电影？

他们听起来很熟？

在他因为几小时前的再度相遇不安得快要失常疯狂的时候，她却依然笑语晏晏毫无负担且奔赴了另一场约会？

如果说打电话前，他是被自己的情绪搅得快要疯了，那么现在，在听到电话里那个男人的声音后，他已经真的疯了。

## Chapter3 鸵鸟小姐

难怪曾岑一直生人勿近，原来竟有孽缘在身。

“曾老师，这是您昨天要我整理的资料。”

何青苗轻轻把一沓制作得精美干净的文件放在曾岑面前，满怀希望地看了看他的脸色。

她今天特意换了一个发型，扎了一个最近流行的半丸子头，原本就清丽秀气的脸上略施粉黛，更显楚楚动人。

但是曾岑一如往常般刻板，只顾低头翻文件，似乎根本没发现这些小小的心思，何青苗不禁在心里幽幽叹了一口气。

趁曾岑没说话，她又试探着开口：“曾老师，那天您给办公室带的牛轧糖挺好吃的，我小侄儿来家玩特别爱吃，听说是在您家楼下的店买的，能不能帮我带一盒呢？”

曾岑一怔。

他费力地扒拉了一下脑袋里关于牛轧糖的稀疏记忆，终于想起来，好像是上个月为了赶一个项目，他让整个小组的人连续陪他加了十几天的班，后来所里的领导提醒他要注意一下组员情绪安抚，于是他就在住处附近的便利店买了一大袋牛轧糖，上班时带过来要何青苗给大家分了。

问题是，那个糖好像当时是在便利店门口促销，所以被路过的他看见，随手买的。他甚至连牌子都不记得了。

他不知道该怎么答何青苗这话，干脆就没回应。

“曾老师，您电话响了。”何青苗柔声提醒。

曾岑“哦”了一声，头也没动，眼睛仍然盯在文件上，空出右手朝着手机的方向移动。

何青苗赶快乖巧地拿过手机放在他的掌心，一个名字快速闪过她的眼，来电人显示“女侠”。

曾岑道了声谢，拿过手机，眼睛终于从那些密密麻麻的字上移开。

他的目光移到手机屏幕上的时候，何青苗清楚地看见，曾岑原本幽深沉静的眼睛里，有一道惊人的亮光被点燃了。

他几乎是瞬间按下了接听键。

明明表情并没有大变化，但何青苗却感觉到了心一点一点下沉。

“你在哪儿？”

曾岑也不叫她的名字，开口就问。

“我好像在你单位门口哎，哈哈哈！”七春兴致勃勃地用手虚画门口的几个大字，引得门口的保安一直皱着眉看着她。

“路过啊，只是路过。”

她当然在说谎，她也知道他知道她是说谎。

可是，她已经来到了这里，她已经重新找到了他，他们之间，总需要有人来搭个梯子。

她是为什么而来，又是为什么而退？

她昨天晚上回去躺在新租的房间里，一夜没睡着，几乎想炸了脑袋。

最后她觉得，还是要见到曾岑，才能得到答案。

所以，她来了。

曾岑也没挂电话，也没吱声，只猛地站起身来，大步朝外走去。

何青苗被他的气势吓了一跳，不知道怎么回事，不自觉地就跟了上去。

七春在大门口看似悠闲地转来转去。

她听见曾岑并没有挂电话，但也没有说话，她其实手心里有一点点出汗，她想，如果曾岑这次又把电话主动挂了，她不知道还有没有勇气，再搭一次梯子。

好在，不久后，她就不再担心了，因为一个熟悉的身影，已经从看得见的大门铁栅栏那一边，匆匆而至。

是她的小王子。

是她的小男孩。

是她多少次在梦里见过，醒来后却不敢对任何人提起的秘密。

可是，他的身后，怎么好像还跟着一个人？

曾岑和保安低语了几句什么，保安立刻恭敬地打开了大门，然后把好奇地目光再次投向那个一直在门口转悠的奇怪姑娘。

曾岑径直走向七春，在她面前站定。

七春笑嘻嘻地伸手拍他的头，要踮起脚才勉强够着。

“小可爱，现在认识姐姐了？”

她自小认识他，就欺负他，叫他“小可爱”，哪怕他已经长成了高大模样，她也总是试图用这一招，来化解他们之间偶尔产生的小小隔阂与误会。

这一次，他也不争气地顺从了她。

“闭嘴。”他捉住她的手甩开，动作却是轻柔的。

“孟七春，你不是我姐，女孩子脸皮不要这么厚。”

这一幕在尾随而至的何青苗看来，却有了不同的意义。

原本她发现曾岑是冲出来见那天在大学会场受伤的那个女人时，心里是一揪一揪地疼的。

但是，曾岑不悦的面色，甚至粗暴甩开了那女人的手的动作，都给了她重燃的信心。

她已经脑补出缤纷大戏。

难怪曾岑一直生人勿近，原来前有孽缘在身。

这个女人也许他曾经的恋人，也许是追求他未果的人，但不管怎么样，他们明显现在已经不在一起。

那么，这个女人像个跟踪狂一样，频繁出没于他的工作地点，又是为了什么？

她一定是在威胁他！

看她那笑嘻嘻的样子，就如同一个掌握了什么把柄的女流氓，一心钻研学术的曾岑，怎么会是这种女人的对手？

所以，他才怕了感情，怕了恋爱，也怕她继续打扰他的生活，所以不得不出来阻止她进一步的疯狂吧。

何青苗越想越觉得合理，前后线索渐渐对上，心跳越来越急。

她要帮助曾岑，她要做点什么！

何青苗突然鼓起勇气冲上前，拉住曾岑的胳膊，大声说：“曾老师，我的资料您还没看完，您先去看资料吧！”

因为七春的笑颜，曾岑刚刚松下来一点的心，又被何青苗弄得一怔。

他莫名其妙地低头看何青苗紧紧抓住了他的衣袖的手指，那姑娘的手指纤白细长，单薄脆弱得有些不像做试验的手。

他皱眉：“你做什么？”

什么资料？刚才的资料？！

不过是他安排她做的一点无关紧要的小收集，也是对实习人员的锻炼，至于紧急到她冲出来拉他回去立刻看？

况且，现在最好任何人都不要和他提孟七春以外的任何话题。

他可以在其他的时间做一千次试验看一万份资料，但是，孟七春如果消失，他就再也找不到。

“放手！”

他试图拂开何青苗的手。

对方却受了惊吓般抓得更紧了。

何青苗不解地看着曾岑渐渐浮上怒意的脸色，一着急，两滴眼泪啪地就从雪白的脸上滚落下来。

砸得七春心里轻轻一颤。

曾岑却没有想那么多，他甚至没有注意到何青苗哭了。

他只是很烦她这个时候来打扰他，他有一千句话要问一万句话要说，他希望何青苗立刻消失在眼前。

“何青苗，你是不是想被开除？”

七春看到曾岑是真生气了，不禁也有些后悔自己在上班的时间来找他。

她承认自己有时做事有点不过脑子，不过，有那么一刻，她真的很想立刻见到他……

像以往的每一次，面对他生气的时候，她都会做的那样，七春下意识地伸出右手顺了顺曾岑的背，就像在给一只巨大的大狗顺毛一样。

“有话好好说啊。”

她这个动作一出，三个人都愣住了。

曾岑只觉得她的手指经过的地方，仿佛有着无形的拉链，被她那样轻轻一拂，就关上了怒气之门。

这真真切切的情绪变化甚至是身体变化，令他感到绝望而无奈。

他的心、他的身体、他的发肤，都认识她孟七春。

而七春和何青苗，则是各自尴尬。

“对不起，我心情不好。”曾岑转头对何青苗说，“你先进去，资料我等会儿就看。”

突然又想起了之前领导的嘱咐，他又补充道：“哦，我明天给你买牛轧糖。”

他还记得刚才在办公室里她提的那个无礼要求呢。

何青苗破涕而笑。

虽然不情愿，但她仍然收回了手，红着脸快速进去了。

只留下曾岑和七春，双双站在研究所的铜铸大门牌下，上午的太阳将他们的影子慢慢拉长，然后一点一点，向着对方的方向靠近。

“昨天干吗装不认识我？”七春化解尴尬。

“人太多。”曾岑不想再讨论这个话题。

“你怎么找到这里？”他问。

“在网上搜你的名字，查你现在的工作单位，好像一点都不难。”七春耸耸肩。

“所以你是特意来找我的？”他怕自己会错意。

“怎么可能！”七春一如既往地夸张大叫着，“真的只是路过啦！我中午还约了朋友吃饭，就不打扰你工作了啊。”

“朋友？”曾岑的手微微捏紧，“昨天晚上看电影那个？”

“嗯。”七春点头，“我现在住在他房子里。”

咦，这话听起来有点奇怪。

但好像也没错。

曾岑心里绷着的那根弦，突然无力地断了。

曾岑却不知道，他刚才画蛇添足地安抚何青苗，说帮她带糖，又让七春变成了一只试图把头埋进沙堆的鸵鸟。

她想，刚才那个姑娘，明显是不想让曾岑和她单独相处，那么关系应该不是普通同事。而以曾岑别扭的性格，如果不是关系特别的姑娘，更不可能笨拙地去主动哄她——用买糖给她这样可笑的招。

所以，她又临阵退缩了，她又口是心非了。

如果，她已经不是他的唯一，那么，她最好的选择，是不是不要打扰？

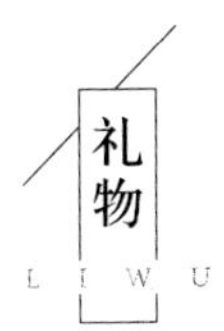

安之，我……又要出差。

窗外黄昏渐暗，树叶沙沙作响，微风如酒吹得人心醉，空气里仿佛都有着丝丝甜味儿。

这样的季节，更加难舍难分。

哪怕一秒。

可是，那个病人很危险，对方是省级三甲医院，请他连夜飞过去，明天一早参加会诊，一定也是刻不容缓。

嗯，那我给你收拾一下。

安之一向乖巧，虽然心里不舍，却识得大体，怕封信担心，反而笑得轻松。

封信看在眼里，心里像被猫尾巴扫过一样，软软的、痒痒的。

最终，他只是无声地叹了一口气，微笑着走过去揉了揉安之的头发，再把新剪的薄薄的刘海撩起来一点，在她光洁的额头上轻轻印上一吻。

我会尽快回来。

回来给你带礼物。

一定。

这次会诊的病人，是一名因头部外伤入院的病人，病情虽不危重，却莫名频发剧烈头痛眩晕，医生们用了各种方法医治都不见好转，家属们见他整日惨呼，也甚为揪心。

正好院长与封信曾有几次合作，就请了他去中西医结合会诊。

这一诊，竟去了足足半个月。

半个月里，封信一直守在病人的病床边，衣不解带，数次根据病情变化调整药方，直至病人奇迹般好转，最后疼痛全消，正常出院，他才松了一口气。

家属千恩万谢，同行纷纷求教，其他病人啧啧称奇，这些，封信都已经无暇顾及，他太累了，一放松下来，只觉得眼皮沉重，全身疼痛，骨头都像要散架。

谢绝了院长的挽留，他搭乘了最近的一班飞机回到了 C 城。

到家的时候，已经是夜里凌晨一点。

他怕惊扰爷爷和安之，并没有提前告诉他们归期，所以好不容易像游魂一样飘回了自己的家里，终于再也支撑不住，直接倒在了客厅的沙发上，沉沉睡去。

第二天早上，他醒来的时候，窗外的天光已经在地板上铺成了薄薄的银河。

一个纤细而熟悉的身影，安静地坐在沙发边的地板止，头伏在他身边，目光所及，是她如瀑的长发，勾勒着美好的曲线。

封信静静欣赏了一会儿她随着呼吸起伏的身影，才缓缓伸出右手，爱怜地覆在她的肩上。

安之瞬间惊醒，睁开的双眼满满都是惊喜。

“封信……”

他瘦了。

每一次出差，回来都是要瘦一圈的。

本来清秀好看的面孔，脸颊都陷了下去，眼皮下面，乌青一片，然而眼睛还是那么的亮、那么的暖，看着她的时候，像里面装着整个温柔的海。

她知道，他出远门，都是在和死神抢生命，都是大事。

可有时，看到他回来时的模样，她会心疼地想，这个职业，仿佛有时是在用自己的生命，交换他人的生命。

如果可以，她多希望他平凡一点守在她身边。

但她知道，如果平凡，那就不是封信。所以，她只能守在他的身后，在他需要的时候，一睁眼，一回头，就能触碰到她。

“浴缸里的水已经放好了，温度应该刚好。”

安之有些害羞又有些心疼地捉住他的手，轻轻贴近自己的脸。

“嗯，我先去洗个澡。”

封信一开口，才发现自己的声音嘶哑。

他看着安之眼里浮起的担心，嘴角温柔地向上弯了弯，示意她没事。

刚要起身，却又一阵头晕，踉跄了一下，跌坐回沙发里。

“对不起……”定了定神，他苦笑了一下，到底还是无法逞强，“又没给你买成礼物……”

时间太紧了，他分秒都抽不出来，而工作完成后，他只想立刻回家。

每一次离开前，都像是哄着她，也哄着自己。

可每一次的归期，都是离弦的箭。

礼物，始终只是嘴里的许诺，未曾实现。

他对她，是有很多内疚的。

封信。

安之唤他的名字。

昨天你在电话里和我说，这次攻克了这个病人的疑难症，得到了宝贵经验，下次医案结集成书时，我帮你把它整理进去，可以帮助更多的病人。

嗯，还有……

每一次你平安回到我的身边，都是我最大的礼物。

我爱你。

她没有说完，封信就温柔地吻了下来。

他的嘴唇是凉的，可这个吻，却是滚烫的。

她错了，封医生的情话技能也在突飞猛进。

星星上的花

# 猫狗大战

YANLUO

安之是非常敬业的性格，生下女儿小甜饼才四个月，就恢复工作了。

她在赶一个给出版社画的儿童绘本。

绘本画的是一个金发的可爱宝宝和一条威风凛凛的大狗一起相亲相爱长大的故事。

宝宝很娇憨，狗狗很忠心，故事很治愈。

安之一边画，一边时不时用目光扫扫身边摇篮里自顾自专心啃着白嫩嫩小脚丫的乖巧小甜饼，心里微微动了动。

晚上，封信准时下班了。

今天的病人一如既往的多，但结婚以后，他便不再加班和熬夜了。

人生有所得必有所失，封医生经历了种种后，原本就宠辱不惊的性情越发温润柔软起来，与安之结婚快两年了，两人竟未红过一次脸拌过一次嘴。

推开门，屋里是初亮起来的暖色灯光，身后是黄昏天空里尚未褪尽的一线缤纷霞光，封信一边从容优雅地舒展着纤长有力的手指，解开带着一丝寒意的外套，一边将目光投向那个牵挂的身影。

安之围着素色的围裙，在餐桌边忙碌着，听到门响，她像受惊的小兔子一样蓦地转过头来，目光正好对上封信扬起一眼笑意的样子看向她。

她的心“咚”一跳，一股又酸又甜的滋味冲击了喉咙，脸上竟涌出了可疑的红晕来。

这么多年了，她于青春最美时遇见他，于历经岁月后重寻回他，那颗心的甜美悸动，就没有一刻甘心停歇。

即使无数次地被他真实拥抱在怀，吻落如雨，然而她对他的渴望，却依然如圣殿里永不熄灭的火种，似乎可以燃烧到时光尽头。

她不知道，封信最享受的，也是她这般永如少女的纯净之心。

他是她的星球上唯一的花朵，这不是一句简单的情话或承诺，而是她用一生的漫长琐碎来向他证明的长情。

他本是无甚情趣的南极冰原，却也被她牵引着，走向了繁花盛开的温暖人间。

“你回来了。”匆匆迎上前来的脚步有些羞怯，却在下一秒，被男人的手臂轻轻一拉，准确地拥入清瘦却宽厚坚实的怀抱中。

清冽醒神的药草香气灌满鼻腔，还有他稳定而有力的心跳。

一个温柔的吻贴近额前，在如丝的发间印下，安之蓦然间收紧无措的手指，像每一次亲昵时一样，毫无意外地抬手抓紧了封信的袖口。

封信却反手抓住了她的两只手腕，从善如流地带领着她的手，绕过他的身体，顺着他的脊背，一路滑到他的腰间，再在身后将她的手指轻轻交缠在一起。

安之有些气息不稳地埋头在他的胸前，静静地站着，享受着这个他们之间的小小游戏。

封信从来不是多话的人，而她也足够文静，结婚快两年了，他们之间竟然毫无半点交流的偏差。

他的一个眼神，她便明了意义。

她的一个呼吸，他便心知肚明。

餐桌上，头发雪白的封老爷子不停地逗弄着摇篮里的小重孙女儿，看上去竟比两年前还更加精神矍铄。

“安之啊。”一边吃饭一边开着小差的老顽童突然想起了什么，提高声调道，“留意一下有谁家的狗下崽儿了，咱们再抱条狗回来吧，陪着饼饼一起长大。”

安之心里一喜，她今天画绘本时，正好生出了这样的念头。

陪伴封家多年的老狗郭靖，在去年初雪落下的日子，安详地闭上了眼睛，那一阵子，虽然碍于安之刚刚怀孕，封家爷孙两人都表现出了男人的冷静与克制，但细心如安之，却仍然知道，对于极重感情的他们来说，这是多么悲伤的离别。

而今，如果封家重新开始饲育一条小狗，让它和小甜饼一起有爱地长大，对失去了郭靖的老人来说，也不失为一种安慰。

安之乖巧地答应着，又详细询问了一下封老爷子对狗崽的意向需求，默默地记在心里。

不过，有个想法她却没有说出来。

那就是，其实，比起小狗，她更想要一只小猫。

安之喜欢猫，从小就喜欢，但妈妈一直不允许她养。

后来工作了，虽然有了独立的空间，但毕竟是租房而居，工作又不稳定，怕担负不起对小生命的责任，因此这份遗憾就一直保留着。

早上在画绘本图的时候，她就动了心思，想晚上等封信回来，和他说说小猫的事，可没想到，晚餐时爷爷就提出了要一条小狗，孝顺的安之当然不忍让老人失望。

毕竟她深知，爷爷想要一条小狗，除了想要它陪伴心爱的小重孙女儿，也寄托着对逝去的老狗郭靖的思念。

她只得将对小猫的渴望再一次埋进心里。

过了几天，安之已经在网上寻到了一条品相不错的家养金毛狗崽儿，一番联系确认后，她便自己开车去把狗崽接了回来。

路上，狗崽温顺地趴在她的腿上，时不时用毛茸茸的小脑袋蹭她握着方向盘的手，弄得她痒痒的，心里也生出千丝万丝的温柔来。

她已经想好了，就叫它乐乐吧，虽然名字俗气了点，却是她对这个家最真切的希望，希望它的到来，带来更多的欢乐……

到了家的乐乐，一撒手，立刻钻进了沙发下面，还没等安之唤它，它却突然又连滚带爬地蹿了出来，呜呜地惨叫着，像是受到了什么惊吓。

还没等安之反应过来，一个白色的东西就滚进入了她的视线。

雪白的、毛茸茸的，两只小爪傲娇地放在身前，小身材直直地蹲坐着，一条灵活的尾巴在身后优雅地盘了一圈，明亮机灵的眼睛警惕地看着她，小嘴一张突然发出了极其绵软的一声：“喵……”

一只猫！

一只漂亮的小猫！

一只和她在梦里幻想拥有过的小猫一模一样的小天使!

不过，和幻想中有所不同的是，此刻，在她的脚下，还有一条瑟瑟发抖的小屎狗，正朝她呜呜求救……

小奶猫高冷地一扭脸：狗东西，刚才打脸可爽?

小奶狗以爪抱头呜咽：猫姐姐，以后能不能打狗不打脸……

封信悠然地从楼上走下来，手里抱着小小的一团女儿，甜饼在爸爸怀里笑得咯咯响亮，加上猫和狗的对话，原本一向清静的封家，顿时吵成了一锅粥。

封信含笑看了一眼蒙圈的安之，低头对女儿说：”这下子，咱们家可热闹了。“

于是，小狗乐乐和小猫欢欢就在同一天，成了封家的新成员。

晚上，小甜饼睡熟后，安之溜进了封信的书房，轻轻蒙上了正在埋案而作的封医生的眼睛。

封信也不躲闪，就着她的手侧了侧脸，轻轻柔柔地咬了她的小指一下，电得安之一个激灵，就被眼前的人拉到了怀里，坐在了膝上。

是的，封医生话不多，但是身体力行的小情趣表达倒是越来越娴熟专业。

安之伏在他的怀里微微气喘，脸红心跳着，悄声问：“封医生，你喜欢猫还是喜欢狗?”

封信温柔地在她的后颈上印下一吻，轻笑道：“猫。”

他的气息钻进她的耳朵，柔软湿润的吻感带着电流，让安之头脑一片空白，她觉得这真是太犯规了，还能不能好好聊天了?

所以她勉力维持住最后一丝清明抗议道：“你骗我的吧? 以前你都是喜欢狗的。”

“早就换成猫了。”封信不紧不慢，这人永远是让别人都方寸大乱了自己还在气定神闲。

“自从两年前开始养猫以后，就很喜欢了。”

“我们什么时候养了猫……”安之疑惑。

好了，封医生已经站起来了，她就在他的怀里，被他搂着，双手环上了他的脖颈。

书房，该熄灯了。

“有啊……一只每天都和我睡在同一张床上的可爱小猫。”

完了，安之把头死死埋在封信怀里，就算熄了灯她也不要睁眼，脸都快烫熟了。

她错了，封医生的情话技能也在突飞猛进……

门外，小猫欢欢又开始揍小狗乐乐。

爱我，宠我，叫我女王，从此以后把每条鱼每块肉都献给我，喵！

彦一，你追问人生的意义太久了，而余生里，
我只希望你过得毫无意义，只有美好时光大把虚掷。

星 星 上 的 花

# 向日葵

YANLUO

## 一、

米兰见到那个叫彦一的男人第一次，就知道要糟。

她曾经听姐姐说，怦然心动的感觉，是一刹那墨黑的夜空里猝不及防绽放出大朵艳丽烟花的震撼，你在颤抖，欢喜席卷吞噬每个细胞，而你却只觉得一切都惶恐到想要哭泣。

她见到彦一的时候，终于明白了姐姐那段晦涩描述的意思。

原来这感觉是真的存在的。

那个清瘦的男人，穿着松松垮垮的白色棉质睡衣，侧靠在菲尔教授实验室前的走廊墙上。薄薄的天光从窗外投射进来，照在墨绿色的暗花墙纸上，他的一半面孔却隐于黑暗。

像是游离于另一个空间里一般，他若无其事地扬起手指，那手指净白细致纤长，即使隔着几步，也似乎看出那近乎透明的质感来，却又有着一种不同于少年的骨节坚韧感。

在那食指与中指间，有烟雾袅袅升起，令他的面孔更加飘忽，太不真实。

米兰从来没有在以严肃古板暴躁闻名的菲尔教授的实验室前看过这样的景象。

不，在这所古老学府里，每个学生都彬彬有礼，衣着精致，骄傲如脆纸唯恐落于人后，断不会有这样一个异类，居然穿着睡衣抽着烟毫无形象地在闲逛。

而且，竟然那么美。

美如妖类。

米兰咬了咬嘴唇，这是她紧张时的习惯，也是她决定不向胆怯妥协时的自我暗示。

她深深地吸了一口气，走上前去。

她一向是崇拜勇敢的，她的心里眼里，都是明媚盛开的花海草原，前面的人生里，她没有受过什么挫折，所以理应无所畏惧。

她只是想要走近他，再走近他一点。

“你好，我叫米兰，我可以认识你吗？”

她的几国语言都很流利，然而她一眼认定，他是中国人，和自己一样的中国人。

所以她用了中文。

清瘦的男人微微低了低头，看了看站在面前的女孩，她站得太近了一些，已经超过了一个陌生人的安全距离，他甚至能够看到自己唇间吐出的淡淡烟雾调皮地钻进她的鼻孔里。

他静静地看了她一眼，又缓缓别过了脸去，不言不语。

对这个世界，他一向是没有礼貌的。

米兰却是固执的，她等了很久，定定地看着他，微笑着，她的笑容甜美而温暖，她很好地按住了自己狂跳得生疼的心，想要把最美好的一面展现给他。

但那人似乎什么也没有看见和听见，仿佛指间的香烟就是他的整个世界，他的眼瞳明明空无一物，米兰却总觉得在那看不尽的深处似乎有着万般华彩。

难道自己判断失误？他听不懂中文？

米兰又咬了咬嘴唇，她突然眼珠一转，仰起脸对他说：“能借我笔吗？”

不等他回答，她就如机灵的小动物般飞速伸手从他睡衣口袋里抽走了那支只露出了一点木色笔杆的铅笔。

趴在窄小的窗沿上，她唰唰而写，背影纤细如一道雨后彩虹。

二、

彦一想，她大概是在写自己的电话吧。

这样大胆的女孩，他也是遇见过几个的，但已经没有一个，他还记得起模样了。

其实，他是很少出门的，以前如此，现在依然如此。

和彦景城一起来到了这方异国土地，定居下来，每天看着天上的云卷云舒，叶子黄了又绿，人声沸了又稀，似乎一切都没有什么不同。

他的世界本来就是极静的，他曾经那么渴望能够有一个声音，来打破这如死的寂静，然而希望消失了，他也能渐渐适应。

不过是回到一个人的样子。

一生那么短，很快就过去了，忍一忍，都会好起来。

他也并不去阻止米兰的动作，一支香烟已经燃到了尽头，他又慢慢地点燃了一支。

是从什么时候开始，学会抽烟的呢?

这样辛辣的香气，曾经是令他无比排斥和厌恶的，但是什么都抓不住的时候，试着点燃它，竟有了一种实实在在的心安。

他并不知道，他精致如画的少年面孔，便是在这抽烟的熟练姿势里，一点一点，有了男人的味道。

也是令女人更易迷恋的味道。

“彦！”

头发花白的菲尔教授大叫着他的名字，像个得了重宝的孩童一般，从门里冲出来，忘形地一把抱住他的肩，用力地摇晃着。

身材瘦小的老教授，在高大挺拔的年轻人面前，蹦跳欣喜如同猴子，这画面怎么看都有几分滑稽，米兰不禁侧目。

“彦！你说得对！鉴定结果来了！这个才是真正的玛格丽特之杯！这是真的！彦！我爱你！我要把我所有的喜悦都分享给你！”

彦一默默地把拿着烟的手挪开了一些,怕不小心烧着了喜而忘形的老教授的白头发。

他安慰般地拍了拍老教授的肩。

“彦！晚上去我家吃饭，我们喝酒！小珍妮念了你好久了，再请不动你，她就要拆了我的老骨头了 !”

“教授，我要回去继续睡觉。”不动声色地退出了菲尔教授的拥抱，彦一一只手指了指自己身上的衣服，用标准的英语回答。

他的声音略微有一点点沙哑，或许是一种不欲掩饰的疏离与倦怠，缓慢地、柔和地流过淡色的唇。

但教授已经习惯，他并不是在意这些凡俗细节的人，也因此才能和这个古怪的东方年轻人成为朋友。

似乎直到此时，教授才发现，自己刚才不顾一切地冲到人家住处拉人，是多么不合礼数。

而彦一竟然真的跟他来了。

至少说明他和这个年轻人之间，似乎已经达成了令人愉悦的信任默契。

“喂！”女孩清脆明亮的声音，像春日里绽放的花朵，惊起空气里无声的小小波动，像有一群看不见的蝴蝶，带着香甜的气息飞起。

“给你。”她把一张小小的便笺纸折成了极细的纸卷，飞快地插进了他的睡衣口袋里，棉质的布料温柔地擦过她的手指，所过之处，似是燃起了一片小小火焰。

“这个……送我吧。”晃了晃手中的木色铅笔，她笑得无邪。

她想也许她猜错了，他不是中国人，所以她把她的话换成了英语。

彦一淡淡地看了她一眼，仍未有任何回复，只是微微扬手朝菲尔教授的方向挥了挥，就一步一步身体略微不稳地走出了她的视线。

“兰，你在做什么？”

菲尔教授看着自己得意女弟子的举动，用力拧起了两条长眉。

“教授，我在追求他啊。”米兰笑得像世界上最灿烂的花朵一样，仿佛没有阴影能够落进她的眼底。

“什么？你在追求他？彦？”教授张大了嘴，突然呵呵大笑起来，乐得直拍手。

年轻人啊，新世界啊。

“但是，你们都是中国人，为什么不用中文对话？”

“他是中国人？！他果然是中国人！教授，能告诉我他的名字吗？”

“彦一。”教授在纸上端端正正地写下他不久前才学会的这两个中国汉字。

彦一。

“居然不理我……”米兰用力咬了咬嘴唇，脸上的笑容却未减分毫。

“好吧，我们来日方长。”

三、

和着衣服，彦一昏昏沉沉地倒在沙发床上。

以前，他总是失眠，严重到令他快要崩溃的长时间失眠，几乎让他葬身地狱，对黑暗的恐惧使他不得不借助一点点微光，幻想把它变成虚无的太阳。

然而远走异乡后，他却仿佛完全倒了过来，他开始嗜睡。

有时若没有重要的工作，他可以连续睡上二十多个小时，睡着时总有梦，冗长而荒芜的感觉，醒来时却不记得分毫细节。

他的世界像是回到了混沌未开前。

快要睡着的时候，他的手指触到了口袋里滚出来的小小纸卷，略硬的质感轻微刺痛了他的皮肤，他捻起它来，想随手扔到床边，却又停了下来。

鬼使神差般，他记起了那女孩像向日葵般明亮得有些刺目的笑意。

他惊讶自己竟然还清楚地记得她的模样。

于是他轻轻叹了口气，勉强制止住睡意，将那小小的纸卷展开来。

意外的是，纸面上并不是一串电话号码。

是一张小像。

淡淡的铅笔速写，清瘦的男人侧脸如画，袅袅的烟雾里有着妖异的美感，表情却是安静而沉默的。

彦一静静地看了几秒，他承认她有着很好的绘画基础甚至天赋。

扬手将那张小像扔到了书桌上，他终于沉沉地睡去。

梦里，竟然有大片的向日葵田，风如幡旗猎猎作响，而他的心，安静而空茫。

四、

阿彦，送你一件礼物！

把手背在身后，神神秘秘的，米兰歪着头笑着，突然伸出右手来，一片金色的光如同神迹闪现，刹那间竟让彦一一向沉默无波的目光躲了一躲。

有些，刺眼。

这硕大的金色的花朵，霸道的浓烈的色彩如古老的绘画献祭者不肯停歇的张扬灵魂，泼洒般占了满眼。

这个位于英国南部的小镇，并不盛产向日葵，因此米兰走过了清风徐来的数条街，才在一家花店里找到这枝花。

这是我最想要送给你的花，因为它吸收了许多许多的阳光，它是温暖的，是友好的，我想把全世界的温暖和友好都送给你，环绕着你。

阿彦，你看！店主还送了我一袋向日葵种子，如果现在种下，明年就可以开花了！

她像喋喋不休的勇敢的小松鼠，固执地向着她心爱的松果靠近。

彦一感觉到自己的心里，小小地晃动了一下。

也许，只是一个恍神？

他并不太确定，他对太多正常人的感觉与反应都那么生疏，在那些漫长的与世界隔绝的日子里，他没有别人，他只有他自己。

他时常分不清他该做出怎样的反应，所以最后，他对世界的表情，就只剩下了沉默和麻木。

安之曾经想要治愈他，封信也曾经想要治愈他，景城小叔也曾经想要治愈他。

他们都是真诚的，然而，他终究没有能够变得更好更正常。

比如现在，他其实不知道该用怎样的表情，来面对女孩如花般灿烂而期待的笑脸，也不知道该接过这枝花，还是该视而不见。

如果，是他所厌恶和恐惧的人和事，他将只有一个反应，就是毫无余地地远离。

但眼前的女孩，他并不厌恶，也不恐惧。

自从在菲尔教授的实验室门口走廊上见到她，她便开始频繁出现在他的周围。

他不知道她是怎么能够准确掌握他的出入时间的，事实上，除了去景城小叔安排的私人博物馆上上班，偶尔去菲尔教授的实验室聊些乱七八糟的事，天气好时去镇西的小池塘里钓钓鱼……他剩下的时间，大概都在睡觉。

而她竟然有本事，在十之八九他会出门的日子里，突然从他身边的花丛里跳出来，或者从一棵栎树后探出身子，笑容满面地说句好巧然后大大咧咧地与他并肩而行。

她总是抱着一本书，因为笑得太灿烂，导致谎言都变得不觉可恶。

对生活中这个小小的变化，彦一有些讶异，也有些无奈。

自从一年前和小叔一起来到英国后，他的日子便继续过得平静而刻板。

当然也有不同，比如，他再没有了过去的疯狂与执念，封信和封爷爷的细心医治，似乎真的让他的身体有了飞跃性扭转，然而他深知，只有一点，纵是神医也无能为力——他还需要一颗自己愿意用力跳动的心脏。

他缺少这个。

烟草与酒精带来的些许振作似乎有效。

他渐渐掌握这种释放方式，也获得一定的心安。

有时还会想起安之的脸，若她在，或者会生气地夺过他手中的酒杯与烟，然后随手扯过一条大毛毯把他像个孩子一样裹起来。

然而，这期待，到底是越来越模糊了。

记忆不过几年长。

然而，米兰……

是的，他知道了她的名字，从菲尔教授那老头儿促狭的大笑里。

米兰只是个任性的、充满了新鲜渴望的孩子，她玩着她所热爱的自以为美丽的游戏，但他，毫无兴趣参与。

## 五、

彦一独自居住在一间旧的民宿里，平开的四间屋房，门前是种得稀疏的花树和宽大草坪，并不邻街，所以足够安静。这里距离学校和博物馆的步行距离，恰好都是十八分钟。

他不肯随景彦小叔一起住到他的高级公寓中去，彦景城到底还是闲不住的性格，说好放下一切随心生活，却到底没过半年就接受了往日朋友锲而不舍的邀约，再次涉足商海。

那些彦一都不感兴趣，他现在独自而居，生活规律如同古老钟表，无惧亦无波。

有时晚上彦景城会过来和他一起吃晚餐，现在小叔已经不再如绷紧的弓般担忧着他的人身安全，然而人心总是难平，他从小叔闪烁的镜片后审视的目光里，又看到了他新的渴望。

终于有一天，彦景城忍不住开口了。

“彦一，周末我要飞一趟法国，我的生意伙伴伯恩先生很想见见你，你觉得……”

“伯恩先生家里有个和我年龄相仿的女儿？”他依然是声调有些压抑的平缓，微微沙哑着，目光却是柔和的。

“那个……”彦景城一时语塞，呵呵笑起来。

“小叔，其实，该给那些望穿秋水的姑娘一个机会的人，是你。你还想单身到什么时候？”

彦一以前，几乎是不说话的，偶尔开口，也是极其简短，彦景城一度担心他终有一天会失语。

现在他倒是很会流畅地绕圈子了。

那比同龄人略为缓慢的语速，像汩汩的山间溪水，即使有些喑哑却也掩不过原本声线的悦耳，内容却让人心生无奈。

“好好好，我不说你。”

“其实，小叔，下周，我想回一趟中国。”

彦一的手机在手机屏幕上滑动了一下，他现在开始使用它了，但却经常忘记开机。

所以，一周前封信发来的信息，他昨天晚上才看到。

照片里，婴儿的小手紧紧攥成拳，闭着眼睛的样子，甚是甜蜜。

## 六、

“你……”

一大早出现在他的屋舍之外的少女，蹲在地上，穿着一件黑色的线衫，披着长长的黑发，简直像只妖异的黑猫。

饶是彦一再淡定，也免不了吓了一跳。

听到他的声音，米兰蓦地转过头来，小小的白净的脸庞上，眼睛闪闪发光如同钻石。

她的笑容从眉梢一直铺陈到眼底，仿佛没有一处，不在真正的快乐之中。

“长出来了！长出来了！阿彦！你看！”

她指着地面上那一片小苗儿，开心得像个十足的孩子。

彦一无语。

米兰倒是说到做到，那天送了他一枝硕大的向日葵后，就自顾自地跟到了他家，非给他找了个瓶子把花插上，放好清水，又发现新大陆一般把他窗外那片荒芜的草地撒上了那包作为赠品附送的向日葵种子。

“哈姆太郎！哈姆太郎！”她一边弄着，一边念念叨叨，手上沾满了黑色的泥土。

彦一不知道她在念什么，他对她的熟悉程度，还没有达到能让他主动开口询问的地步，更多的，他只是有些不适地看着这一切。

或许，还有些好奇。

他有些惊讶自己的心里，产生了叫好奇的情绪。

他想，也许是因为米兰在说的话，在做的事，在毫无章法地向他灌输的那个世界，对他来说，都太陌生了。

以前，他从未想过要去重新进入那个平凡世界，世界不需要他，他也不需要更多同情，就这样游离地活着就好。

但米兰，她对于这样赤裸的冷漠和拒绝，似乎是太过于自信了。

“我叫你阿彦好吗？”不等他回答，她就直接执行了。

他不知道她的强大能量来自于哪里，所以，他好奇。

“阿彦，你看，那些种子真的发芽了！所以，它们也一定会开花的！”米兰兴致勃勃，一下子站起来，也许是蹲的时间太长，她突然摇晃了几下。

彦一本能地伸手，她便如同一片云朵，恰好倒进了他的胸怀。

少女柔软的身体带着淡淡的香气，以他的站立处为支撑点，毫无防备地冲破了他从未打开的城堡壁垒，将他完美藏身之地撞出一道缝隙。

那缝隙里，是疯狂生长的孤独野草，还是曼妙开放的一枝梅花?

神秘是最初心的吸引，没有人能够抗拒。

而对于米兰来说，再没脸没皮故作洒脱，此刻也红透了耳根。

彦一的手，比她想象中，更加有力。他的手指在一刹那间敏锐地抓住了她的胳膊，曾经在初见时弥漫着迷离烟草气息的手指，透过两层衣料，让她感觉到如被火焰炙烤的错觉。

她飞快地站稳身体，在跌撞间飞奔而去，耳边有风声急速后掠，而她疑心她的脚底每一步，都惊慌到开出了粉色的小花。

## 七、

“姐姐，怎样才能得到一个人的心?”米兰认真地问米茴。

“用你的心去和他交换。”米茴对于一向自信爆棚的优秀小妹问出这样的问题感到好笑，她揉着米兰的头发很神婆状地回答。

“可是，我已经很努力把心给他看了，他根本不回应。”米兰却当了真地沮丧起来。

看到小妹如此表情，米茴倒不忍再调侃，反而担心起来。

“那么，就再给他也给自己一点时间，米兰，今天种下花的种子，不会明天就开出美丽的花，时间和耐心，是无法取代的过程。”

彦一站在机场的安检处，他竟然犹豫了一下。

他觉得他好像忘记了什么事，那事很小很轻，像一缕细细的烟灰，不知道何时掸落在了心里，轻轻地烫过一下，但转眼就消失了痕迹。

他到底想不起来，只好放弃。

“菲尔教授，您知道彦一去哪儿了吗?”

米兰的脸色有些苍白，她一直是个爱笑的姑娘，爱笑的姑娘运气都不会太差，加上她成绩好，情商出色，所以即使是以古怪粗暴脾气著称的菲尔教授，对她也一向多几分宽容疼爱。

“他回中国了，没有和你说吗?”老头儿遗憾地咂咂嘴。

虽然只是回去一个月，但那个古怪又可爱至极的小伙子不在的日子，他还是有些想念他的。

那个神秘东方来的小伙子，真是太对他的胃口。

米兰的脸色又白了一点，但她仍然在笑着。

“啊，他回去了……”

“你没有追上他吗？“老头儿的思维真是直接又粗暴。

米兰摇摇头，然后菲尔教授就吃惊地看到这个笑得和花朵一样的姑娘，眼睛里毫无预兆地掉下两颗泪来。

“兰？”

“教授，我的生日快到了，我问他讨要了礼物呢。”

我对他说，阿彦，你看我给你种下了这么多向日葵，能不能换你在我生日那天，对我说一句米兰生日快乐呢？

我以为他不会回答，可是，他突然抬头对我说，好。

教授，我都高兴得几天没睡好觉了，我好困啊。

他对我说了好，可是，怎么又无声无息地走掉了呢。

爱一个人呀，怎么这样容易难过呢？

彦一在飞机上闭着眼睛昏昏沉沉地睡。

这一次，他竟然看清了梦里的场景，弥漫着大雾的夜晚街道，两旁叫不出名字的笔直笔直的树木，他一个人站在街心，向每个方向看过去，雾都浓白如雪。

醒来后，他竟然有点难过了。

八、

“所以，你飞了这么远，就是想坐在咖啡馆里，看看我手机里甜饼的照片？”

封信看着坐在对面的彦一，后者拿着他的手机，纤长的手指一划一划的，有时会停下来，对着某个细节看很久。

“她的眼睛，像安之，鼻子和脸形像你。”彦一认真地点评。

封信笑了笑，他的目光温柔，落在彦一的身上。

一年多不见，彦一有了很大的变化，这种变化，并不仅仅是外表上脱离了少年的桀骜青涩，迅速增加了属于一个成年人的某些矛盾气息，更表现在他的行为上。

他的行为和言语开始有了更多变化，虽然有些不那么常规化，但在封信看来，一切对彦一曾经如同死水的心防来说，都是好的变化。

他得承认，他和彦一的关系，也一直在发生奇妙的变化。

这是他的病人，也曾经是他的情敌，但现在，他想，这是他和安之的家人——虽然这个家人有些特别。

彦一那么辛苦地飞来看他们的孩子，却执意不肯让安之知道，明明已经来到了家门口，却只坐在咖啡馆里抱着他的手机贪婪地看着他初生的小女儿的照片。

虽然不知道他是怎么想的，但没有关系，封信都能由着他。

而彦一，也很清楚，封信会由着他。

他也不知道从什么时候起，他和封信之间，有了这种吊诡的彼此笃定。

这一年来，他只给安之写过一封电子邮件报平安，但他和封信，却一直保持着不算频繁的信息和电话联络。

淡淡的，但从未间断。

封信会按时询问他的身体状况，也会根据英国的气候和季节变化给他一些调理的建议，有时还会寄来一些食材和药材，里面附着的纸条上的字，和他本人一样俊逸有力。

他就是在这样若有若无的联系里，慢慢地沉下心来，安静地感受到，安之选择的这个男人，他那如同淡淡药草香般让人安心的性情。

对他竟亦如是。

“明天，我想去挑一些甜饼能穿的衣服，我不知道婴儿还需要什么……”迟疑了一下，彦一缓缓地有些不确定地看向封，“或者，我可以多买一些衣服，把一岁的、两岁的都买了？”

“好。”封信并不与他客气。他知道，彦一需要做些什么，来释放内心里对于这个孩子的爱意。

彦一爱这个孩子。

那种爱从他漂亮的眼睛里涌出来，有些不知所措的，无处安放般，这令他看起来天真又可爱。

“我还想给封爷爷和安之买些东西……”彦一盘算着，“但你别说我来了，你说我从英国寄来的。”

封信再点头：“如果你明天去，我还能陪你一块儿，我明天休诊。”

“封信。”彦一突然冒出一句，“我是她舅舅吗？”

封信一怔。

“你当然是。”

他现在深刻地理解了当年安之对彦一的温柔。彦一就是有这样的魔力，当他对一个人放下心防的时候，他内里的柔软和干净，是让人觉得再低再轻的语声，也唯恐碰伤到他的。

彦一笑了起来。

他对笑这个表情掌握得不太熟练，但是他的面孔实在太生动好看，即使是轻轻牵了牵嘴角，也像是阳光冲破厚重云层猝不及防洒了满脸的惊艳。

“抽烟吗？”彦一突然熟练地拿出黑色烟盒，抬眼示意封信。

他想，封信一定会阻止他。

但是封信意外地笑了笑，伸手抽出一支来。

“这里是禁烟区，我陪你出去。”他温和地说。

封医生是聪明人，封医生当然有例外。

## 九、

“阿彦！”

街对面有人叫他。

几乎是在这个声音响起的一瞬间，彦一突然一震，脑海里一直被淡雾掩盖的某个区域像刮起了一阵风，一下子露出了下面的内容。

米兰。

她说她要过二十岁生日了，生日那天她会给他送她自己烘焙的蛋糕来，而他答应会对她说生日快乐。

彦一没有抬头看向街对面，而是扭头去看咖啡店门口的水牌，上面有着今天的日期提醒。

米兰的生日，是明天。

不知道为什么，彦一突然就没有勇气了。

“怎么了？”封信察觉到了彦一的异常，他也看到了街对面背着双肩包的女孩，她穿着鹅黄色的裙子，笑容隔得那么远依然感觉到顽皮又兴奋，像是从春天里变出来的逃学小姑娘。

她奋力地朝彦一挥着手，封信可以肯定，她大喊着的“阿彦”，就是他身边站着的这个突然变得别扭僵硬的人。

他轻轻拍拍彦一的肩，手指触到的瞬间，彦一却敏感地全身震动了一下。

他抬眼看了一下封信，封信发现他的眼底，又变得迷雾环绕。

他在逃避什么。

“阿彦！”

米兰一边喊，一边急切地冲过街道。

她的眼睛太专注地盯在那个人身上，生怕他突然消失，以至于都没有注意到急驰而至的小车。

“小心！”封信惊呼出声。

彦一像是回过神来，几乎同时转身望去，急迫与慌张令他没有机会逃避，他到底是对上了那双清亮如水的眼睛。

小车刹住了，司机发出刺耳的咒骂。

米兰已经风一般地穿过了街道，来到了他们身边。

她气喘吁吁，站在清瘦挺拔的两个男人面前，仰起脸来，露出最灿烂勇敢的笑容。

阿彦，姐姐说，想要打开一个人的心，是需要时间与勇气的。

而我，想要打开你的心，路还很遥远吧？

我看见你住在森严的城堡里，外面是阳光漫天，而城堡的门和墙，却都无声冰凉。我不知道里面的景色是什么样子，也不知道你住在哪个房间，我只能围着它绕了一圈又一圈。

小鸟飞进去了吗？瓢虫在里面安家了吗？白玉兰的种子是否已经落入土壤？

我多想你有一天打开门，和我一起说说这些闲话。

我以为，我找到了一条墙上的小缝，从那小小的缝隙里，我看到了你的衣角，你的手指，你身边的树还有花。

我想小心的伸出手去，我只是想碰一碰你的手指。

你能不能，不要躲开，不要害怕？

## 十、

“一路平安。”封信轻轻拥抱了一下彦一。

彦一低垂着眼没有应声，似乎是百无聊赖地看着地面，睫毛却几不可见地动了动。

“彦一。”封信认真地叫他一声。

彦一抬起头来。

封信想了想，还是决定把这几天一直忍着没说的话说出来。

“上次那个被你弄哭的女孩，叫米兰是吧？”

彦一有些不自在地轻咳了一声。

“她说她是来看同学的，结果与你巧遇。可是，你一定知道，她是追着你来的。她那么年轻，一定用了很多方法，吃了很多苦，才来到你面前，但是你板着脸那么生气，最后让她哭着走了。”

彦一有点受不了和封信站在候机厅里说这个了，他觉得四面八方好像都有着奇怪的目光看向他们，但也可能是他的幻觉。

或者，是他一直在逃避这个意外事件的真相。

逃避米兰的笑容，也逃避米兰的眼泪。

“彦一，你告诉我，你觉得米兰她想要什么？”

如果轻易放弃，那就不是封信了，当他下决心要盯着一个人的时候，即使冷硬如彦一，也是无法躲闪的。

“她想要我……当面对她说生日快乐。”他终于投降，叹着气说出来。

是的，他到底没有实现承诺，不过是一句：生日快乐。

对他来说，就那么难。

“不是。”封信伸出长指，闪电般戳了一下彦一的胸口。

“不是生日快乐，她是想要你的心。”

“而那句生日快乐对你来说为什么那么难出口，因为那决定着，你要不要打开你的心，去试试新的人生。”

银鸟冲破天际，越过高山与大洋，一路飞向他要去的地方。

彦一烦躁地戴上耳塞，他想睡觉。

但是，他竟然睡不着了。

他最近的睡眠越来越像个正常人，白天是白天，黑夜是黑夜，头脑清明的时间越来越多，不知道是不是回国的这些天，封信一直在给他熬药调理的原因。

而现在，他明明是想要一场睡眠的。

这样，就可以避免封信可恶的声音，持续回响在他的脑海里了。

为什么不呢？

封信微笑着——这男人多数时间是个好脾气的医生，但有时也残忍得毫不留情。

你可以停在路边，和你不觉得讨厌的人喝杯咖啡消磨一下安静的时间；

你也可以在有人为你精心制造出一个个用心的浪漫的小把戏时，不要强行压制自己的感动；

你可以和普通的年轻人一样，去做很多没有意义的傻事——

彦一，你追问人生的意义太久了，而余生里，我只希望你过得毫无意义，只有美好时光大把虚掷。

我相信，安之和所有爱你的人，也是这样期望。

## 十一、

他终于从一本厚重的书里，找出了那张被压得平整的小纸条。

画上的他，在她的笔下美丽如画，而他指间那一缕烟雾里，有一串小小的数字，其实，他早就看到了，那应该就是她的号码。

是的，是年轻男女间最常上演的桥段吧，她遇见他，为他作画，留下号码，明明白白地告诉他，她喜欢他。

而他，就照着故事里那样，给她打电话，邀请她一起共进晚餐，陪她在校园里漫步，然后牵她的手，亲吻她。

他的心会慢慢地变得更软弱，也更坚强，会不知所措地跳动，也会充满忧虑与不安，就像此刻这样。

会为得到而欣喜羞涩，也会为失去而痛哭失声。

这样就很好吧。

就是封信说的，虚掷大把美好时光。

在他的余生里。

彦一轻轻地、一个字一个字地在手机屏幕上，按下那一串数字号码。

HI，米兰。你，回来了吗？

米兰几乎不敢相信自己的耳朵，在电话时听到那个声音的同时，她的眼泪就那样毫无防备地哗啦啦地落下，像一场幸福的小雨，湿过了明亮衣衫。

她不知道，原来他对她的影响，已经深刻到这样的地步。

只是对她说一句话呀，一句简单的话呀，她竟能幸福到泪如雨下。

所有的委屈，所有的难过，所有的失约，竟然都有了回报。

她看见那阳光下，城堡的大门发出沉重的异响，要打开了，那古老的门，有人在里面，试图打开。

不要放弃，里面的人。

我来了。

是的，我回来了，阿彦。

她听到自己哽咽的声音，明明嘴角那么努力地上扬着，可是，潮湿的气息却循着无形的轨迹飘呀飘呀，飘到了那个人的耳中。

“那个……晚上，能一起吃饭吗？”

彦一握着电话，他的手心也是潮湿的，但，这一次不是因为心疾发作，也不是因为生病。

他只是，有点紧张。

像一个初次约会的少年。

曾经以为世界倾覆也不会再有丝毫容色变换的他，原来，终有一片阳光，能重新温暖。

还有……

他听到自己轻轻的略显别扭的声音，随着清澈的目光，落在窗外的那一片梦一样的色彩上，它们融化了他心里的坚冰，开花的刹那，不过一秒，天地已换新篇。

米兰，你种下的向日葵，已经开花了。

所以，如果我的星球上的那朵花，并不是玫瑰，而是一朵向日葵……

我是不是也可以试着说一句：

未来可期?